教員採用試験

スイスイとける

2026年度版

教職教養 合格問題集

TAC教員採用試験研究会

JN015667

TAC出版
TAC PUBLISHING Group

はじめに

本書は教員採用試験で出題される教職教養の頻出問題を確実に、そして短期間で学習できるように編纂した問題集です。学生の方は多くの履修科目があり、多忙なキャンパスライフを送っておられることでしょう。既卒の方は民間企業に勤務したり、講師として教壇に立たれたりして、学生時代以上に多忙な日々となり、十分な学習時間を確保するのが難しいといわれています。特に既卒の方は学生時代のような学習上のサポートを受けることが難しく、独学による受験となりがちです。そこで、本書は多忙な方でも教職教養を効率よく学ぶことができるように編集上の工夫を凝らしました。本書には次のような特徴があります。

・答え合わせがしやすいように問題と解答解説を見開きにしました。
・○×の理由がわかりやすい丁寧な解説をしました。
・学習進度がわかりやすい論点別の構成としました。

確実な学力を養うため、敢えて応用度の高めの問題も収録しています。できなかった問題でも解説を熟読することによって、確かな知識が身につくはずです。確かな知識で合格を確かなものにしましょう。

受験は時間との勝負です。受験に勝利するためには、「限られた時間で最大の学習効果を発揮する」教材を手にすることが何より重要です。まずは本書を開いて、効率よく学習するためのコツをつかんでください。

「資格の学校」TACは、さまざまな分野の資格試験・採用試験において多くの合格者を輩出してきました。長年にわたって培ってきたTACならではのノウハウが本書の各所に散りばめられています。本書を手にしたあなたは、合格への第一歩を踏み出したといえるでしょう。

本書を学習した教員採用試験受験生の方々が見事合格の栄冠を勝ち取られ、明日の教育界で活躍されることを願ってやみません。

TAC教員採用試験研究会

本書の特長・学習法

テーマ別収録なので学習しやすい

過去の出題傾向をもとにして、各科目の出題頻度の高い問題を科目・テーマ別に収録しました。近年頻出の生活に即した実践的な応用問題も掲載しています。

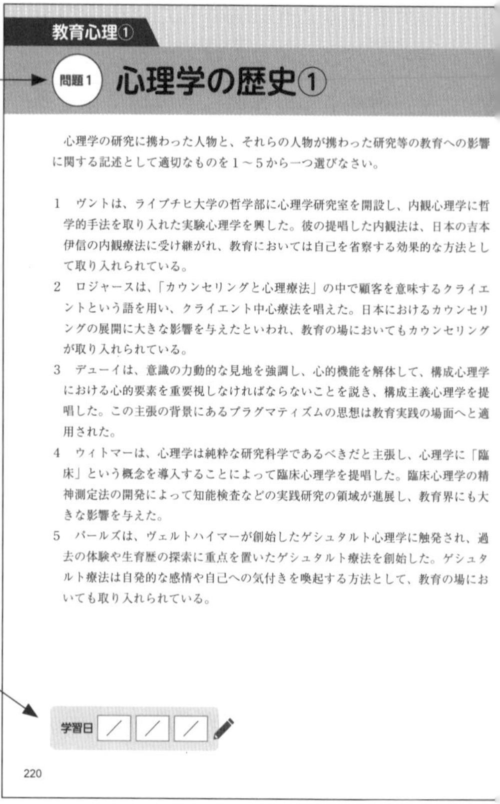
教育心理①

問題1 心理学の歴史①

心理学の研究に携わった人物と、それらの人物が携わった研究等の教育への影響に関する記述として適切なものを1～5から一つ選びなさい。

1　ヴントは、ライプチヒ大学の哲学部に心理学研究室を開設し、内観心理学に哲学的手法を取り入れた実験心理学を興した。彼の提唱した内観法は、日本の吉本伊信の内観療法に受け継がれ、教育においては自己を省察する効果的な方法として取り入れられている。

2　ロジャースは、「カウンセリングと心理療法」の中で顧客を意味するクライエントという語を用い、クライエント中心療法を唱えた。日本におけるカウンセリングの展開に大きな影響を与えたといわれ、教育の場においてもカウンセリングが取り入れられている。

3　デューイは、意識の力動的な見地を強調し、心的機能を解体して、構成心理学における心的要素を重要視しなければならないことを説き、構成主義心理学を提唱した。この主張の背景にあるプラグマティズムの思想は教育実践の場面へと適用された。

4　ウィトマーは、心理学は純粋な研究科学であるべきだと主張し、心理学に「臨床」という概念を導入することによって臨床心理学を提唱した。臨床心理学の精神測定法の開発によって知能検査などの実践研究の領域が進展し、教育界にも大きな影響を与えた。

5　パールズは、ヴェルトハイマーが創始したゲシュタルト心理学に触発され、過去の体験や生育歴の探索に重点を置いたゲシュタルト療法を創始した。ゲシュタルト療法は自発的な感情や自己への気付きを喚起する方法として、教育の場においても取り入れられている。

学習日 ／ ／ ／

220

学習日を記入できる

日付欄に学習をした日付を記入して学習進度を確認できます。間違った問題は繰り返し学習するようにしましょう。

ぜひチャレンジしてみましょう！

本書を使った効果的なアウトプット＋インプット学習法

①問題を解いたら**解答解説を熟読**する。

②間違った問題は**合格テキスト**を読んでさらに理解を深める。

③完全にマスターしたら**日付欄**に日付を記入。

④上記の学習を**3回**繰り返す。

⑤試験直前になったら**2回以上間違った問題**をもう一度解く。

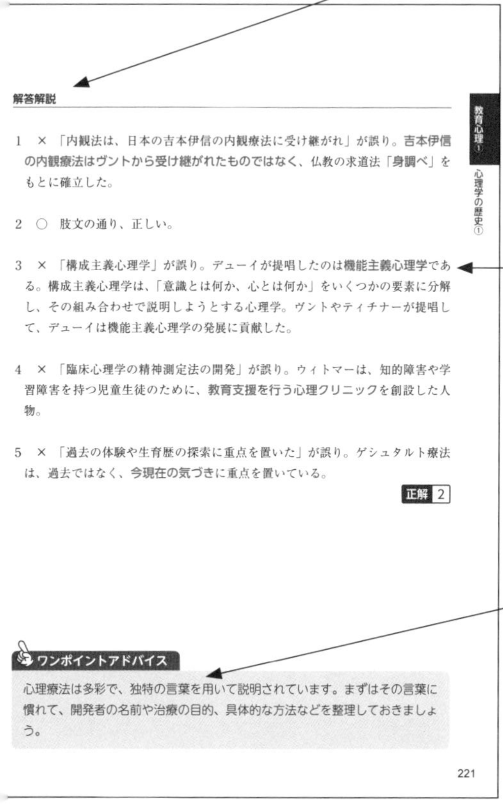

解答解説

1　×「内観法は、日本の吉本伊信の内観療法に受け継がれ」が誤り。吉本伊信の内観療法はヴントから受け継がれたものではなく、仏教の求道法「身調べ」をもとに確立した。

2　○　肢文の通り、正しい。

3　×「構成主義心理学」が誤り。デューイが提唱したのは機能主義心理学である。構成主義心理学は、「意識とは何か、心とは何か」をいくつかの要素に分解し、その組み合わせで説明しようとする心理学。ヴントやティチナーが提唱して、デューイは機能主義心理学の発展に貢献した。

4　×「臨床心理学の精神測定法の開発」が誤り。ウィトマーは、知的障害や学習障害を持つ児童生徒のために、教育支援を行う心理クリニックを創設した人物。

5　×「過去の体験や生育歴の探索に重点を置いた」が誤り。ゲシュタルト療法は、過去ではなく、今現在の気づきに重点を置いている。

正解 2

教育心理①　心理学の歴史①

ワンポイントアドバイス

心理療法は多彩で、独特の言葉を用いて説明されています。まずはその言葉に慣れて、開発者の名前や治療の目的、具体的な方法などを整理しておきましょう。

221

答え合わせがすぐできる

問題と解答解説を見開きにしているので、答え合わせがすぐできます。そのため、学習効率が抜群です。

選択肢の○×がよくわかる

選択肢の○×がよくわかる丁寧な解説を記載しています。なぜこの肢は誤っているのか、熟読して正解肢の選び方を会得して下さい。

解法のポイントがわかる

発展学習のため、適宜ワンポイントアドバイスを記載。解法のヒントや覚えておくと便利な着眼点を紹介しています。

繰り返し学習することで弱点を完全に克服できます。試験直前に間違った問題だけ復習することで合格率アップ。

目次

教育原理①

教育原理②

教育原理③

学習指導要領

教育法規①

教育法規②

教育法規③

教育心理①

教育心理②

教育史

スイスイとける
教職教養　合格問題集

問題1 教授と学習①

次の文章はある学習指導の事例に関するものである。この事例における学習指導の方法の名称として最も適切なものを１～５から一つ選びなさい。

小学校第６学年の担任であるＡ教諭は、国語の「読むこと」の学習において、尾括型の説明的な文章を教材として用いて、筆者の主張を把握することをねらいとした学習指導を行った。Ａ教諭は、この学習の導入で、文章の構成や、筆者の主張が述べられている箇所を児童に把握させるために、新聞のコラム欄の短い記事を提示した。そして、この新聞記事が「序論-本論-結論」という文章構成になっていることや、「結論」部分に筆者の主張が述べられているということを説明した。その後の学習で、児童は、新たに提示された説明的な文章の構成と、先に学習した新聞記事の文章の構成とを関連付けることができ、説明的な文章の中の筆者の主張を的確に把握することができた。

1　問題解決学習
2　発見学習
3　有意味受容学習
4　インドクトリネーション
5　プログラム学習

学習日 ／ ／ ／

解答解説

1　×　**問題解決学習**は課題解決型学習とも言われ、PBL（Project Based Learning）と表されることが多い。**生徒児童が自ら問題を発見して解決する学習法**で、教員は生徒の自発性や興味関心を引き出す助言者として学習サポートをする。

2　×　**発見学習**とは、教師が教え込むのではなく、**生徒の発見や気づきによって知識を得て、考える力を学ぶ学習法**。問題解決学習は生徒が自分で問題を発見して実験や討論などを通して「問題解決力」を学ぶものだが、発見学習は生徒の発見や気づきによって「知識や考える力」を学ぶ。

3　○　肢文の通り、正しい。
有意味受容学習はアメリカの心理学者オーズベルによって提唱された理論で、単なる丸暗記ではない学習法。新しい学習や未知の問題に取り組むときに、これまでに学んできた**知識を活用し、関連づけながら**新しい知識を得ようとする教授法である。

4　×　**インドクトリネーション**は、特定の思想や価値体系を正しいものとして**教え込む**こと。教化。もともとは、宗教の教義を教え込むという意味。

5　×　**プログラム学習**は、学習した知識を確認する問題を解き、**正解を確認しながら知識や理解を定着させる学習法**。問題を解いた直後に正解か不正解かがすぐにわかるので、自分のペースで学習を進めることができる。WEB学習サイトやアプリで学習するｅラーニングでよく活用されている。

正解　3

ワンポイントアドバイス

学習理論は数多くありますが、アメリカの心理学者、スキナーによって提唱されたプログラム学習に関する問題は頻出しています。ただしこれは2020年度から小学校で始まった「プログラミング学習」とはまったく別物なので注意が必要です。

問題2 教授と学習②

次のア～オは、教育に関わる用語について述べたものである。正しいものを二つ選ぶとき、その組合せを解答群から一つ選びなさい。

ア　バズ学習 — 特定のテーマに関する肯定、否定の立場をとり、その是非について討論をする形式。

イ　ドルトン・プラン — 自由と共同を基調として、従来の一斉教授を打ち破り、一人一人の子どもの個性や要求に応じた個別学習を採用した指導法。

ウ　進歩主義教育 — 人類の文化遺産に現れた基礎的な知識や道徳の伝達を重視する教育。

エ　ウィネトカ・プラン — 自然の順序に従って、子どもの有している諸能力が発達するのを促す教育。

オ　プロジェクト学習 — 学習者が、自らの活動や経験を自発性に基づいて企画・実行し、その過程において必要な知識・技能の獲得を図る方法。

【解答群】

1　ア、イ	2　ア、ウ	3　ア、エ	4　ア、オ	5　イ、ウ
6　イ、エ	7　イ、オ	8　ウ、エ	9　ウ、オ	0　エ、オ

学習日 ／ ／ ／

解答解説

ア　×　「特定のテーマに関する肯定、否定の立場をとり」討論をするのは**ディベート**である。バズ学習は、小グループで自由に討議させ、その結論を各グループの代表が報告し合って全体討議を進める集団学習法。アクティブ・ラーニングを実現する学習指導の理論の一つで、1948年にミシガン大学のフィリップス教授によって提唱された。

イ　○　肢文の通り、正しい。

ウ　×　**進歩主義教育**とは、アメリカで1910年代から1930年代に最盛期を迎えた新教育運動の総称。児童の関心や自主性を尊重して自由な活動を尊重する教育。児童が「太陽」となり、その周りを教育の諸々の営みが回転する新学校に改造しようとした**デューイ**の**実験学校**が有名。

エ　×　「自然の順序に従って」が誤り。**ウィネトカ・プラン**は子どもたちの創造的な活動や社会的スキルの発達に焦点が当てられた教育である。アメリカ・イリノイ州ウィネトカの教育長、ウォッシュバーンによって提唱された。公立小・中学校の教職員が協力してカリキュラム開発を進め、小学校から中学校までの連続性を持たせようとしたカリキュラム編成には、近年の日本の教育現場でも注目が集まっている。

オ　○　肢文の通り、正しい。

正解　7

ワンポイントアドバイス

デューイは教育の過程を「経験の再構成」であると捉えて、実験学校では学んだ知識を実際に試してみたり、ものづくりをしたりと、得た知識を活用する試みをしていました。その教育法は、現代の問題解決型学習につながるものです。教育原理の単元では、現代の教育改革でも課題となる教育理論や教育法が多く取り上げられるものと想定しておきましょう。

問題3 教授と学習③

次の記述は、ある学習指導の方法に関するものである。この学習指導の方法の名称として適切なものを１～５から一つ選びなさい。

この学習指導法の中心は、１個別的な進度、２個別化教授と学習、３社会的自己実現の諸活動である。カリキュラムは、「共通な必修教科」と「集団的・創造的活動」とから成り、英語、数学、社会などの教科では、共通に必要とされる知識及び技能のある単位を完全に習得して次の単位に進むという、学習者の業績を基礎とする自己の進度に即した完全習熟学習法をとっている。

社会的自己実現の諸活動では、集団的な創作活動が重視され、討論、自治会、集会、演劇、図工、美術、音楽、体育、雑誌・新聞の発行等の諸活動が奨励される。大正末期に我が国にも紹介された。

1　イエナ・プラン
2　ウィネトカ・プラン
3　ドルトン・プラン
4　プロジェクト・メソッド
5　モリソン・プラン

学習日 ／ ／ ／

解答解説

1 × 完全習熟学習法が誤り。**イエナ・プラン**は、ドイツの教育学者ペーターゼン（1884 ～ 1952）が策定したもの。生徒の自主性を重んじ、**総合学習**（複数の授業を統合した学習）と**共同作業**を実践した。

2 ○ 肢文の通り、正しい。**ウィネトカ・プラン**は米イリノイ州ウィネトカの教育長ウォッシュバーン（1889 ～ 1968）によって導入された教授組織案。**個別学習**と**集団学習**の組み合わせ方式である。

3 × **ドルトン・プラン**は一斉授業を廃した教育方式であり「共通な必修科目」はないので誤り。ドルトン・プランは米マサチューセッツ州ドルトンのハイスクールでパーカースト（1887 ～ 1973）が試みた新しい教育方式。個別学習と集団的協力学習を通じて児童の**自主的学習**を推進する学習プランである。

4 × **プロジェクト・メソッド**は、学習指導法というよりも授業形態を指すので誤り。プロジェクト・メソッドは米国の教育学者キルパトリック（1871 ～ 1965）が提唱したもので、目標を設定し、計画を立て、それを遂行し、評価するという**４段階の活動**をする学習法である。

5 × モリソン・プランは**反復学習**を重視する**単元学習**であり、教育カリキュラムではないので誤り。モリソン・プランは米国の教育学者モリソン（1871 ～ 1945）が開発したもので、テスト、評価、指導を繰り返してその単元の完全習得をはかる。

正解 2

ワンポイントアドバイス

教育の基本的な概念や学習理論には、混同しやすい用語や人名があります。丸暗記せずに、その成り立ちや重視することを理解しながら覚えましょう。

問題4 教授と学習④

次の文章は、ある学習指導の事例に関するものである。この事例における主な学習指導の方法についての記述として最も適切なものを1～5から一つ選びなさい。

> 中学校第3学年の理科の授業を担当するA教諭は、単元Xの学習内容に関する個々の生徒の知的背景や過去の経験を調べるために、簡単な○×クイズを行った。そして、生徒の既得の知識や経験と単元Xの学習内容とを関連させ、生徒の学習意欲を促すとともに、授業の方向付けを明確にした。次に、A教諭は、単元Xの学習内容を説明した。知識を定着させた後、A教諭は、生徒の自主的判断力や問題解決のための思考力の形成を目指し、教材や資料、実験器具などが整備された理科実験室で、生徒にグループ別に実験を行わせたり、個別の研究を行わせたりして、この単元Xの学習内容の理解を図った。その際、生徒の学習進度に応じて個別に指導を行った。その後、A教諭は、生徒に、この単元Xの学習内容を自分の言葉で整理させた。最後に、A教諭は、生徒がこの単元Xの学習によって習得した学習内容を、他の生徒にも理解できるように説得力をもたせて説明させた。

1　イエナ・プランにみられる、異年齢や特別支援を必要とする子供を含む学級を構成し、子供同士の経験から学ばせる学習指導の方法である。
2　ウィネトカ・プランにみられる、教育課程を共通科目と、集団的・創造的活動に分け、後者では生徒の関心を最重視する学習指導の方法である。
3　モリソン・プランにみられる、教授過程を、探求、提示、同化、組織化、発表の5段階とし、段階を経て学習内容を習得させるという学習指導の方法である。
4　ヴァージニア・プランにみられる、教科主体の系統学習を排除し、社会生活の経験をコア・カリキュラムとする学習指導の方法である。
5　ドルトン・プランにみられる、子供の自発性を尊重し、個別の学習計画に従って学習を進めていくという学習指導の方法である。

学習日　／　／　／

解答解説

1　×　**イエナ・プラン**はペーターゼンがドイツのイエナ大学附属実験学校で実施した教育方法。**年齢別学年や学級編成を廃止した**ところに特徴がある。問題文の事例には当てはまらないので誤り。

2　×　ウィネトカ・プランは、1919年にウォッシュバーンが米イリノイ州ウィネトカ市の小・中学校で実施したもの。**教育課程を共通基本教科（読・書・算数）と社会的・創造的活動（音楽・美術・体育等）に分け**、前者では一人ひとりのペースに合わせた個別指導を行い、後者ではグループ学習を行ったところに特徴がある。問題文の事例には当てはまらないので誤り。

3　○　肢文の通り、正しい。**モリソン・プラン**は教科を特性によって、①科学型、②鑑賞型、③言語型、④実技型、⑤反復練習型の**５つに分類**し、さらに各分類が５段階の過程を経る学習法。問題文にある教育方法は①科学型の分類について「探索・提示・類化・組織化・発表」の５段階の学習過程が用いられている。

4　×　**ヴァージニア・プラン**は、1934年に米バージニア州教育委員会が、小・中学校の教育改善のために提案した教育課程である。すべての教育活動の核（コア）となる教科・科目や活動領域を設定し、その周辺に関連する教科・科目や領域を配置して、教育内容全体を有機的に統合する**コア・カリキュラムを提唱**した。問題文の事例には当てはまらないので誤り。

5　×　**ドルトン・プラン**は、1920年にパーカーストが、米マサチューセッツ州ドルトン市のハイスクールで実施した方法。教育課程を**個別指導の主要教科群（国・数・理・社等）と学級単位で行う副次的教科群（音・美・体等）に分けた**。問題文の事例には当てはまらないので誤り。

正解 3

ワンポイントアドバイス

子どもが主体的に学ぶために注目されている問題解決型学習です。

問題5 教授と学習⑤

次の記述ア・イは、学習指導法に関するものである。ア・イと、その名称Ａ～Ｅとの組合せとして適切なものを１～５から一つ選びなさい。

ア　児童・生徒の自発的、合目的的な活動を中軸に学習を組織する方法である。キルパトリックによって、付随学習の概念も採り入れられたことにより、実験主義的経験教育の方法原理にまで高められた。我が国へは大正後期に導入され、当時の自由主義を基調とする新教育運動に影響を与えた。

イ　ヘルバルトの展開した理論を根拠として、ツィラーとラインが構築した指導法で、19世紀後半の欧米の初等学校における教授上の一大思潮となった。機械的暗記中心の方法に対して心理学に立脚した方法で、実際の授業に一定の規範を与えた。我が国へは明治20年代に導入され、明治30年頃には我が国の教育界に影響を与えた。

Ａ　開発教授法
Ｂ　プロジェクト・メソッド
Ｃ　五段階教授法
Ｄ　モンテッソーリ法
Ｅ　ティーム・ティーチング

１　アーＡ　イーＣ
２　アーＡ　イーＤ
３　アーＢ　イーＣ
４　アーＢ　イーＥ
５　アーＤ　イーＥ

学習日　／　／　／

解答解説

アは、キルパトリックが提唱したＢ「**プロジェクト・メソッド**」の説明である。付随学習とは、「子どもは学校で教師が意図した教育内容だけを学ぶのではなく、学校や教師、自分自身についても付随して学び、この蓄積が子どもの性格を形成している」という概念である。

イは、Ｃの「**五段階教授法**」の説明である。五段階教授法とは、教える過程を分析・総合・連合・系統・方法の５段階に分類した考え方である。ヘルバルト派のツィラーによって提唱され、日本には明治中期に導入された。

補足

Ａ：開発教授法とはペスタロッチが提唱した、知識や技術を一方的に与えるのではなく、児童の自発性を重んじ生まれつき持っている能力や心性を開発しようとする教育法である。

Ｄ：モンテッソーリ法は、子どもには、自分を育てる力、すなわち「自己教育力」が備わっているという考え方に基づいた教育法である。

Ｅ：ティーム・ティーチングは、ケッペルが教員養成計画の改革案の一つとして想案した。教師１人に対して多数の生徒の授業ではなく、複数の教師がそれぞれの専門性を生かしながら授業を実施するという教育法である。

正解 3

ワンポイントアドバイス

問題解決型学習とプロジェクト・メソッド（プロジェクト法）の違いを整理しておきましょう。問題解決型学習は１教科の枠の中で実施されることが多く、プロジェクト・メソッドは総合的な学習の時間のような教科横断型学習で導入されることが多い学習法です。

問題6 学習指導①

次の文章は「生徒指導提要」（令和４年12月　文部科学省）の集団指導と個別指導に関する記述である。空欄に語句を入れて完成させる場合、正しい組合せはどれか。１～５から一つ選びなさい。

集団指導と個別指導は、集団に支えられて個が育ち、個の成長が集団を発展させるという［ A ］により、児童生徒の力を最大限に伸ばし、児童生徒が社会で［ B ］するために必要な力を身に付けることができるようにするという指導原理に基づいて行われます。そのためには、教職員は児童生徒を十分に理解するとともに、教職員間で指導についての共通理解を図ることが必要です。

集団指導では、社会の一員としての自覚と責任、他者との協調性、集団の目標達成に貢献する態度の育成を図ります。児童生徒は［ C ］の過程で、各役割の重要性を学びながら、協調性を身に付けることができます。自らも集団の［ D ］であることを自覚し、互いが支え合う社会の仕組みを理解するとともに、集団において、自分が大切な存在であることを実感します。

ア　反対作用　　イ　自立　　ウ　相互作用
エ　役割分担　　オ　形成者　　カ　団結

	A	B	C	D
1	イ	ウ	ア	カ
2	イ	ウ	ア	エ
3	ウ	イ	エ	ア
4	ウ	イ	エ	オ
5	エ	イ	ア	カ

学習日　／　／　／

解答解説

生徒指導提要において集団指導と個別指導はよく問われるテーマである。集団指導においては、あらゆる場面において、児童生徒が人として**平等な立場**で互いに理解し信頼した上で、**集団の目標**に向かって励まし合いながら成長できる集団をつくることが大切である。個別指導には、集団から離れて行う指導と、集団指導の場面においても個に配慮することの二つの概念がある。授業など集団で一斉に活動をしている場合において、**個別の児童生徒の状況**に応じて配慮することも個別指導と捉えられる。また、集団に適応できない場合など、課題への対応を求める場合には、**集団から離れて行う**個別指導の方がより効果的に児童生徒の力を伸ばす場合も少なくない。

正解 4

ワンポイントアドバイス

「学習指導」の単元からは、指導方法の名称と内容を結び付ける問題が頻出しています。各指導方法が何を目的とし、どのような効果を期待しているかを軸に理解しておきましょう。

問題7 学習指導②

次の記述は、学習指導に関するものである。記述中の下線部ア～ウと、それに関する記述Ａ～Ｃとの組合せとして最も適切なものを１～５から一つ選びなさい。

我が国の教育界では、明治中期以降、ヘルバルト派による(ア)５段階教授法が盛んに受容されるようになった。これに対し、戦後、展開されるようになったのが(イ)問題解決学習である。その後、(ウ)発見学習が我が国に紹介され、いろいろな形の実践が見られるようになった。

Ａ　学習における特徴的な思考の働きが、「問題の感知」、「問題の設定・明確化」、「可能な問題解決の予想」、「その予想の根拠となるものを推論によって練り上げる」、「観察や実験によって予想が正しかったか否かを導く」の５段階の過程に整理されている。

Ｂ　教育現場での実践しやすさを追求して、「予備」、「提示」、「比較」、「総括」、「応用」の五つに整理されている。

Ｃ　科学者が原理、法則を発見する過程を短縮化し、児童・生徒に追体験させることにより、学習内容の理解と定着が増進すること、科学的、探究的な思考能力が形成されることが主として期待されている。

1　ア－Ａ　イ－Ｂ　ウ－Ｃ
2　ア－Ａ　イ－Ｃ　ウ－Ｂ
3　ア－Ｂ　イ－Ａ　ウ－Ｃ
4　ア－Ｂ　イ－Ｃ　ウ－Ａ
5　ア－Ｃ　イ－Ａ　ウ－Ｂ

学習日　／　／　／

解答解説

ア　ヘルバルトは教育学を初めて学問として樹立し、授業で初めて習う内容について、明瞭・連合・系統・方法の４段階を経過することを理想とした。その後、「**ヘルバルト派**」と呼ばれるツィラーやラインといった後継者によって５段階教授法に発展した。**「予備・提示・比較・総括・応用」はラインの５段階教授法**である。ア＝B

イ　**問題解決学習**は1900年代初頭にアメリカの教育学者、**ジョン・デューイ**が初めて教育現場で実践したとされる。**自ら問題を発見して解決する能力を養う**ことが目的である。近年は「PBL（Project Based Learning）型学習」や「課題解決型学習」とも呼ばれて注目を集めている。イ＝A

ウ　**発見学習**はアメリカの教育学者、ジェローム・**ブルーナー**が提唱した教授・学習法。生徒が自分で学習すべき知識を発見して学習できるよう、教師が授業計画を立てるものである。知識だけでなく、活用力や応用力、**探究的な思考力**が形成されることを目的にしている。ウ＝C

正解 3

ワンポイントアドバイス

近年の教育現場では、教師が生徒に一方的に指導する「講義型」の授業だけでなく、さまざまな形態の学習指導法が実践されています。特徴的な学習指導の形態とその目的を理解しておきましょう。

問題8 生徒指導①

次の文章は「生徒指導提要」（令和４年12月　文部科学省）の生徒指導の意義に関する記述である。空欄に語句を入れて完成させる場合、正しい組合せはどれか。１～５から一つ選びなさい。

これからの児童生徒は、少子高齢化社会の出現、災害や感染症等の不測の［　A　］との遭遇、高度情報化社会での知識の刷新や［　B　］の習得、外国の人々を含め多様な他者との共生と協働等、予測困難な変化や急速に進行する多様化に対応していかなければなりません。

児童生徒の［　C　］の獲得を支える生徒指導では、多様な教育活動を通して、児童生徒が主体的に課題に挑戦してみることや多様な他者と協働して創意工夫することの重要性等を実感することが大切です。

児童生徒の教育活動の大半は、集団一斉型か小集団型で展開されます。そのため、集団に個が埋没してしまう危険性があります。そうならないようにするには、学校生活のあらゆる場面で、「自分も一人の人間として大切にされている」という［　D　］を、児童生徒が実感することが大切です。

ア　自己指導能力　　イ　社会的危機　　ウ　ICT活用能力
エ　自己存在感　　オ　他者への優越感　　カ　協調性

	A	B	C	D
1	イ	ウ	ア	カ
2	イ	ウ	ア	エ
3	ウ	イ	エ	ア
4	ウ	イ	エ	オ
5	エ	イ	ア	カ

学習日　／　／　／

解答解説

児童生徒が**自己指導能力**を獲得するには、授業場面で自らの意見を述べる、観察・実験・調べ学習等を通じて自己の仮説を検証してレポートする等、自ら考え、選択し、決定する、あるいは発表する、制作する等の体験が何より重要である。児童生徒の**自己決定**の場を広げていくために、学習指導要領が示す「主体的・対話的で深い学び」の実現に向けた授業改善を進めていくことが求められる。
また、児童生徒一人一人が、**個性的**な存在として尊重され、学級・**ホームルーム**で安全かつ安心して教育を受けられるように配慮する必要がある。他者の人格や人権をおとしめる言動、いじめ、暴力行為などは、決して許されるものではない。お互いの個性や多様性を認め合い、安心して授業や学校生活が送れるような風土を、教職員の**支援**の下で、児童生徒自らがつくり上げるようにすることが大切である。

正解 2

ワンポイントアドバイス

生徒指導提要は、小学校段階から高等学校段階まで、組織的・体系的な生徒指導を進めることができるように、文部科学省によってまとめられたものです。問題行動をする生徒のための「生活指導」ではなく、児童生徒の社会性を養い、自己実現ができる力を養う「教育活動」であるという観点で読み解きましょう。

問題9 生徒指導②

「児童生徒の教育相談の充実について～学校の教育力を高める組織的な教育相談体制づくり～(報告)」(教育相談等に関する調査研究協力者会議 平成29年1月)に関する次の記述ア～エのうち、正しいものを選んだ組合せとして適切なものはどれか。1～5から一つ選びなさい。

ア　スクールカウンセラーには、不登校、いじめ等の未然防止、早期発見及び支援・対応等について、不登校児童・生徒数やいじめの認知件数、暴力行為発生件数、児童虐待などの件数等から自治体の特徴、ニーズを把握し、自治体に対して助言することが求められている。

イ　学級担任及びホームルーム担任には、日常的行動観察や児童・生徒の学業成績、言動、態度、表現物等を通して、児童・生徒の課題を少しでも早く発見し、課題が複雑化、深刻化する前に指導・対応できるように、児童・生徒を観察する力が必要である。

ウ　養護教諭は、全児童・生徒を対象として、入学時から経年的に児童・生徒の成長・発達に関わっており、また、様々な課題を抱えている児童・生徒と関わる機会が多いため、健康相談等を通じ、課題の早期発見及び対応に努めることが重要である。

エ　スクールソーシャルワーカーには、不登校、いじめ等を学校として認知した場合やその疑いが生じた場合、また、災害等が発生した際は、強いストレスを受けたときに起きる心や体の変化の受け止め方、ストレスチェックなどのストレス対処法について教員へ助言することが求められている。

1　ア・イ
2　ア・ウ
3　イ・ウ
4　イ・エ
5　ウ・エ

学習日　／　／　／

解答解説

ア　×　スクールカウンセラーではなく、**スクールソーシャルワーカー**に求められる事柄を述べているので誤り。

イ　○　肢文の通り、正しい。**学級担任及びホームルーム担任の役割**について述べている。

ウ　○　肢文の通り、正しい。**養護教諭の仕事と求められる役割**について述べている。

エ　×　スクールソーシャルワーカーではなく、**スクールカウンセラー**に求められる事柄を述べたもので誤り。

正解　3

ワンポイントアドバイス

学校教育法施行規則第65条の３には、「スクールカウンセラーは、小学校における児童の心理に関する支援に従事する。」とあり、同規則第65条の４では「スクールソーシャルワーカーは、小学校における児童の福祉に関する支援に従事する。」と規定しています。教育相談の対象は、いじめや不登校などの問題を抱える児童生徒だけが対象ではないので、その意義をよく理解しておきましょう。

問題10 生徒指導③

「いじめ問題への的確な対応に向けた警察との連携等の徹底について（通知）」（令和５年２月７日　文部科学省）に関する記述の内容として誤っているものはどれか。１～５から一つ選びなさい。

1．加害児童生徒がいじめを行う背景として、心理的ストレス、集団内の異質なものへの嫌悪感情などが考えられる。
2．いじめを行う加害児童生徒に対しては、教育的配慮の下、毅然とした態度で指導・対応を行い、自らの行為を反省させることが必要である。
3．いじめを行う加害児童生徒に対するアセスメントを行うに当たっては、警察署等に配置されているスクールサポーターなど外部の専門家を活用することも有効である。
4．少年サポートセンターや警察署等の警察機関には、加害児童生徒の健全育成を図るためのカウンセリングや注意・説諭等の役割が期待できる。
5．法務少年支援センターは、心理検査、問題行動の分析や指導方法等の提案、児童生徒や保護者に対する心理相談等のほか、法教育に関する出張授業も行っている。

学習日 ／ ／ ／

解答解説

1 ○ 肢文の通り、正しい。

2 ○ 肢文の通り、正しい。

3 × 「警察署等に配置されているスクールサポーターなど外部の専門家を活用することも有効である」が誤り。「SC（スクールカウンセラー）・SSW（スクールソーシャルワーカー）や、外部の専門機関の活用が有効である。児童生徒の心理や性格の面からアセスメントを行う法務少年支援センター等、加害児童生徒の健全育成を図るためのカウンセリングや注意・説諭等が期待できる少年サポートセンター、警察署等の警察機関との連携を行うことも考えられる」が正しい。

4 ○ 肢文の通り、正しい。

5 ○ 肢文の通り、正しい。

正解 3

ワンポイントアドバイス

同通知では、重大ないじめ事案等における警察への相談・通報の徹底や、いじめ対応における児童生徒への指導・支援の充実、保護者への普及啓発などがまとめられています。いじめ問題への対応に当たり、留意すべき事項を把握しておきましょう。

問題11 生徒指導④

「いじめの重大事態の調査に関するガイドライン」（文部科学省 平成29年３月）に関する記述として適切でないものを１～５から一つ選びなさい。

1．学校の設置者及び学校として、自らの対応にたとえ不都合なことがあったとしても、全てを明らかにして自らの対応を真摯に見つめ直し、被害児童生徒・保護者に対して調査の結果について適切に説明を行うこと。
2．不登校重大事態の定義は、欠席日数が年間90日であることを目安としている。しかしながら、基本方針においては「ただし、児童生徒が一定期間、連続して欠席しているような場合には、上記目安にもかかわらず、学校の設置者又は学校の判断により、迅速に調査に着手することが必要である。」としている。
3．被害児童生徒や保護者から、「いじめにより重大な被害が生じた」という申立てがあったとき（人間関係が原因で心身の異常や変化を訴える申立て等の「いじめ」という言葉を使わない場合を含む。）は、その時点で学校が「いじめの結果ではない」あるいは「重大事態とはいえない」と考えたとしても、重大事態が発生したものとして報告・調査等に当たること。
4．学校は、重大事態が発生した場合（いじめにより重大な被害が生じた疑いがあると認めるとき。）、速やかに学校の設置者を通じて、地方公共団体の長等まで重大事態が発生した旨を報告する義務が法律上定められている。
5．被害児童生徒、その保護者、他の在籍する児童生徒、教職員等に対して、アンケート調査や聴き取り調査等により、いじめの事実関係を把握すること。この際、被害児童生徒やいじめに係る情報を提供してくれた児童生徒を守ることを最優先とし、調査を実施することが必要である。

学習日 ／ ／ ／

解答解説

1 ○ 肢文の通り、正しい。

2 × 不登校重大事態とは、いじめにより児童生徒が相当の期間、学校を欠席することを余儀なくされている疑いがあると認めるときで、この期間は**90日ではなく30日**を目安とする。

また、「上記目安にもかかわらず、学校の設置者又は学校の判断により、迅速に調査に着手することが必要である」との記述が示すように、「重大事態」、すなわちいじめに対する生徒指導や教育相談においては「**未然防止**」が重要な考え方である。

3 ○ 肢文の通り、正しい。

4 ○ 肢文の通り、正しい。

5 ○ 肢文の通り、正しい。

正解 2

ワンポイントアドバイス

いじめ問題については、「いじめ防止対策推進法」からの出題頻度が高くなっています。面接で問われることも多いので、いじめの定義や学校及び教職員の責務についてしっかりと確認しておきましょう。

問題12 生徒指導⑤

次の各文は、いじめ防止対策推進法の条文である。空欄A～Dに、あとのア～クのいずれかの語句を入れてこの条文を完成させる場合、正しい組合せはどれか。1～5から一つ選びなさい。

第三条　いじめの防止等のための対策は、いじめが全ての児童等に関係する問題であることに鑑み、児童等が安心して学習その他の活動に取り組むことができるよう、学校の内外を問わずいじめが［A］ようにすることを旨として行われなければならない。

2　いじめの防止等のための対策は、全ての児童等がいじめを行わず、及び他の児童等に対して行われるいじめを認識しながらこれを［B］ことがないようにするため、いじめが児童等の心身に及ぼす影響その他のいじめの問題に関する児童等の理解を深めることを旨として行われなければならない。

3　いじめの防止等のための対策は、いじめを受けた児童等の［C］を保護することが特に重要であることを認識しつつ、国、地方公共団体、学校、［D］、家庭その他の関係者の連携の下、いじめの問題を克服することを目指して行われなければならない。

ア	行われなくなる	イ	減少する	ウ	放置する
エ	隠蔽する	オ	日常生活及び学習環境	カ	生命及び心身
キ	地域住民	ク	教育関係者		

	A	B	C	D
1	ア	ウ	オ	ク
2	イ	ウ	カ	ク
3	ア	エ	オ	ク
4	イ	エ	オ	キ
5	ア	ウ	カ	キ

学習日　／　／　／

解答解説

A　アの「**行われなくなる**」が正しい。第４条で「児童等は、いじめを行ってはならない」といじめを禁止しているように、この法律はいじめが「減少する」のではなく、行われなくなることを目指している。

B　ウの「**放置する」ことがないようにするため**が正しい。エの「隠蔽する」ことがないようにでは、いじめ事案発生時の対策について述べた文章となり、この法律の基本理念である「いじめが行われなくなる」とは合致しない。

C　カの「**生命及び心身**」が正しい。この法律ができたきっかけとなったのは、平成24年、滋賀県大津市のいじめを受けた児童が自殺した事案である。いじめとは、いじめを受けた児童等が「心身の苦痛を感じているもの」と定義されているので、オの「日常生活及び学習環境」を保護するだけでは不十分である。

D　キの「**地域住民**」が正しい。この法律が成立する背景には、「社会総がかりでいじめに対峙していくための基本的な理念や体制を整備する法律の制定が必要」とした平成25年２月の教育再生実行会議第１次提言会がある。「社会総がかり」とは、教育関係者にとどまらないことを指している。

正解　5

ワンポイントアドバイス

問題文のいじめ防止対策推進法第３条の条文は、この法律の基本理念を定めています。いじめ問題については「いじめ防止対策推進法」からの出題が頻出です。生徒指導や教育相談では「未然防止（いじめを未然に防止する）」が重要な考え方です。いじめ防止等の基本方針と合わせて確認しておきましょう。

問題13 生徒指導⑥

「いじめの重大事態の調査に関するガイドライン」（文部科学省 平成29年３月）に照らして適切でないものを１～５から一つ選びなさい。

1．いじめ防止対策推進法第28条第１項においては、いじめの重大事態の定義は、「いじめにより当該学校に在籍する児童等の生命、心身又は財産に重大な被害が生じた疑いがあると認めるとき」、「いじめにより当該学校に在籍する児童等が相当の期間学校を欠席することを余儀なくされている疑いがあると認めるとき」とされている。

2．いじめの事実関係等の調査結果において、いじめが認定されている場合、加害者に対して、個別に指導を行い、いじめの非に気付かせ、被害児童生徒への謝罪の気持ちを醸成させる。加害児童生徒に対する指導等を行う場合は、その保護者に協力を依頼しながら行うこと。また、いじめの行為について、加害者に対する懲戒の検討も適切に行うこと。

3．学校は、重大事態が発生した場合、速やかに校長を通じて、教育長まで重大事態が発生した旨を報告する義務が法律上定められている。この対応が行われない場合、法に違反するばかりでなく、教育委員会における学校に対する指導・助言、支援等の対応に遅れを生じさせることとなる。

4．学校の設置者及び学校は、各地方公共団体の個人情報保護条例等に従って、被害児童生徒・保護者に情報提供及び説明を適切に行うこと。その際、「各地方公共団体の個人情報保護条例等に照らして不開示とする部分」を除いた部分を適切に整理して行うが、いたずらに個人情報保護を盾に情報提供及び説明を怠るようなことがあってはならない。

5．学校は、被害児童生徒や保護者から、「いじめにより重大な被害が生じた」という申立てがあったときは、その時点で学校が「いじめの結果ではない」あるいは「重大事態とはいえない」と考えたとしても、重大事態が発生したものとして報告・調査等に当たることとされている。

学習日 ／ ／ ／

解答解説

1　○　肢文の通り、正しい。

2　○　肢文の通り、正しい。

3　×　「速やかに校長を通じて、教育長まで」が誤り。学校において重大事態が発生した場合には「**学校の設置者**」を通じて、「**地方公共団体の長等まで**」重大事態が発生した旨を報告する義務が法律上定められている。

4　○　肢文の通り、正しい。

5　○　肢文の通り、正しい。

正解 3

ワンポイントアドバイス

いじめ防止対策推進法は、いじめを「防止する」「未然に防ぐ」ことを重要視しています。いじめは児童生徒の心身または財産に重大な被害を与え、相当の期間欠席を余儀なくされることが想定されており、これは「重大事態」として認識されています。未然防止や重大事態が発生したときなど、自分ならどのように対応するか、すべきであるかを考えながらいじめ問題の概要を把握しておきましょう。

問題14 生徒指導⑦

次の各文のうち、「いじめの防止等のための基本的な方針」(平成25年10月11日文部科学大臣決定（最終改定　平成29年３月14日))の中の、いじめの防止等のための対策の基本的な方針に関する事項についての記述の内容として誤っているものはどれか。１～５から一つ選びなさい。

1　いじめの問題への対応は学校における最重要課題の一つであり、一人の教職員が抱え込むのではなく、学校が一丸となって組織的に対応することが必要である。

2　学校の教育活動全体を通じ、全ての児童生徒に「いじめは決して許されない」ことの理解を促し、児童生徒の豊かな情操や道徳心、自分の存在と他人の存在を等しく認め、お互いの人格を尊重し合える態度など、心の通う人間関係を構築する能力の素地を養うことが必要である。

3　嫌がらせやいじわる等の「暴力を伴わないいじめ」は、「暴力を伴ういじめ」と異なり、生命又は身体に重大な危険を生じさせることはないが、その一方でどの子供にも起こりうるものであることから、児童生徒のささいな変化に気付く力を高めることが必要である。

4　いじめの加害・被害という二者関係だけでなく、学級や部活動等の所属集団の構造上の問題（例えば無秩序性や閉塞性)、「観衆」としてはやし立てたり面白がったりする存在や、周辺で暗黙の了解を与えている「傍観者」の存在にも注意を払い、集団全体にいじめを許容しない雰囲気が形成されるようにすることが必要である。

5　全ての児童生徒を、いじめに向かわせることなく、心の通う対人関係を構築できる社会性のある大人へと育み、いじめを生まない土壌をつくるために、関係者が一体となった継続的な取組が必要である。

学習日 ／ ／ ／

解答解説

1　○　肢文の通り、正しい。

2　○　肢文の通り、正しい。

3　×　「生命又は身体に重大な危険を生じさせることはないが」が誤り。そもそもいじめとは「**心理的又は物理的な影響を与える行為**（インターネットを通じて行われるものを含む。）であって、当該行為の対象となった**児童等が心身の苦痛を感じているものをいう。**」と定義されていて、暴力を伴わないいじめが生命又は身体に重大な危険を生じさせないと決めつけることはできない。さらに「いじめの防止等のための基本的な方針」には「**暴力を伴わないいじめであっても、何度も繰り返されたり多くの者から集中的に行われたりすることで、暴力を伴ういじめとともに、生命又は身体に重大な危険を生じさせうる。**」として、具体例まで詳細に記されている。

4　○　肢文の通り、正しい。

5　○　肢文の通り、正しい。

正解 3

ワンポイントアドバイス

いじめは面接でもよく問われる問題です。「いじめ防止対策推進法」に定められているのは、いじめ防止のための大切な理念や基本的な方針が中心で、学校や教師がとるべき具体的な対応策にまでは踏み込んでいません。具体的な対応策については「いじめの防止等のための基本的な方針」に記されているので併せて理解を深めておきましょう。

問題15 生徒指導⑧

次の各文のうち、「不登校児童生徒への支援の在り方について（通知）」（令和元年10月25日　文部科学省）の中の、学校等の取組の充実に関する記述の内容として正しいものを○、誤っているものを×とした場合、正しい組合せはどれか。1～5から一つ選びなさい。

A　児童生徒が将来の社会的自立に向けて、主体的に生活をコントロールする力を身に付けることができるよう、学校や地域における取組を推進することが重要であること。

B　児童生徒にとって学業の不振が不登校のきっかけとはなりえないため、不登校児童生徒に対する支援においては、学習の支援と切り離した取組が必要であること。

C　児童生徒の不登校を未然に防止する取組ではなく、不登校の理由に応じた適切な支援などの事後的な取組が重要であること。

D　不登校児童生徒への効果的な支援については、学校及び教育支援センターなどの関係機関を中心として組織的・計画的に実施することが重要であり、また、個々の児童生徒ごとに不登校になったきっかけや継続理由を的確に把握し、その児童生徒に合った支援策を策定することが重要であること。

	A	B	C	D
1	○	×	×	○
2	○	×	○	×
3	○	○	×	×
4	×	○	○	×
5	×	×	×	○

学習日 ／ ／ ／

解答解説

A ○ 肢文の通り、正しい。

B × 「学業の不振が不登校のきっかけとはなりえないため」が誤り。同通知では「**学業のつまずきから学校へ通うことが苦痛になる等、学業の不振が不登校のきっかけの一つとなっている**」としている。そのため、児童生徒が学習内容を確実に身に付けることができるよう、指導方法や指導体制を工夫改善し、個に応じた指導の充実を図るように示している。

C × 「未然に防止する取組ではなく」が誤り。同通知では、児童生徒が不登校になる前に「**児童生徒が不登校にならない、魅力ある学校づくりを目指す**ことが重要」としている。また、**不登校児童生徒への早期支援の重要性**に触れ、「不登校児童生徒の支援においては、予兆への対応を含めた初期段階からの組織的・計画的な支援が必要である」としている。

D ○ 肢文の通り、正しい。

正解 1

ワンポイントアドバイス

不登校生徒の数は、小学校・中学校で増加傾向にあります。文部科学省「不登校児童生徒への支援の在り方について」を基本として、自分が担任を務めるクラスの生徒が不登校になったらどう対処するかを考えてみましょう。

問題16 生徒指導⑨

キャリア教育に関する次の記述ア～エのうち、正しいものを選んだ組合せとして適切なものを１～５から一つ選びなさい。

ア　キャリア教育とは、一定又は特定の職業に従事するために必要な知識、技能、能力や態度を育てる教育である。
イ　キャリア教育は、特定の活動や指導方法に限定されるものではなく、様々な教育活動を通して実践されるものである。
ウ　キャリア教育で育成すべき「基礎的・汎用的能力」は、「人間関係形成・社会形成能力」、「自己理解・自己管理能力」、「課題対応能力」、「キャリアプランニング能力」の四つで構成されている。
エ　生涯にわたる多様なキャリア形成に共通して必要な能力や態度を、義務教育を修了するまでに、身に付けさせることを目標とすることが必要であるとされている。

1　ア・イ
2　ア・ウ
3　イ・ウ
4　イ・エ
5　ウ・エ

学習日　／　／　／

解答解説

ア　×「職業に従事すること」を前提にしているので誤り。**キャリア教育**は「一人一人の**社会的・職業的自立に向け、必要な基盤となる能力や態度を育てること**を通して、キャリア発達を促す教育」としている。

イ　○　肢文の通り、正しい。

ウ　○　肢文の通り、正しい。

エ　×「義務教育を修了するまでに」が誤り。**キャリア教育**の目標は「**後期中等教育終了**までに、生涯にわたる多様なキャリア形成に共通した能力や態度を身に付けさせること」とされている。併せて「これらの育成を通じて価値観、とりわけ勤労観・職業観を自ら形成・確立できる子ども・若者の育成を、キャリア教育の視点から見た場合の目標とすることが重要」とされていることに注目したい。つまり働くとはどういうことか、どのような職業観を持って自らの将来の選択をするかを考えることは、キャリア教育の一環と言える。

正解 3

ワンポイントアドバイス

キャリア教育は「進路指導」と混同されやすいので注意しましょう。キャリア教育は大学卒業後の進路など、長いスパンで人生を考える教育ですが、進路指導は「高校や大学をどう選ぶのか？」「望む進路に進むためにどんな学習をすべきか」といった、比較的短いスパンで考えるキャリア教育です。「今後の学校におけるキャリア教育・職業教育の在り方について（答申）」（平成23年1月31日　中央教育審議会）参照。

問題17 生徒指導⑩

高等学校におけるキャリア教育の在り方に関する記述として、「幼稚園、小学校、中学校、高等学校及び特別支援学校の学習指導要領等の改善及び必要な方策等について（答申）」（中央教育審議会　平成28年12月）及び「高等学校キャリア教育の手引き」（文部科学省　平成23年11月）に照らして最も適切なものを１～５から一つ選びなさい。

1　社会の中で自分の役割を果たしながら、社会的な人間の形成を実現していく過程がキャリア発達であると捉え、教員が、生徒一人一人の「キャリア・パスポート（仮称）」を記述することで、生徒の学習状況やキャリア形成を見通して指導することが重要である。

2　日常の教科・科目等の学習指導においても、自己のキャリア形成の方向性と関連付けながら見通しをもったり、振り返ったりしながら学ぶ「主体的・対話的で深い学び」を実現するなど、教育課程全体を通じてキャリア教育を推進する必要がある。

3　アルバイトの経験は、学業に充てる時間が圧迫されたり、生活リズムの乱れにつながったりしてキャリア発達を促さないため、「職業人講話」や「職業人インタビュー」の講師を地域に依頼するなどして、地域全体で生徒の社会的・職業的自立を育てる必要がある。

4　キャリア教育においては、これまで、小・中・高等学校の学校種間の継続的・発展的な取組は十分に行われてきたため、これからは、同じような進路を希望する生徒が在籍する高等学校間の横のつながりに重きをおき、生徒の将来の職業選択につなげることが重要である。

5　インターンシップは、就職を希望する生徒が多い専門学科において、特定の職業の能力向上を目的として実施するだけでなく、進学を希望する生徒の多い普通科においても、進学後に就職することを見据えて、職業訓練としての就業体験を実施することが重要である。

学習日 ／ ／ ／

解答解説

1　×「教員が、生徒一人一人の『キャリア・パスポート（仮称）』を記述する」が誤り。**キャリア・パスポート**とは「小学校から高校までのキャリア教育に関わる活動について、**学びのプロセスを児童・生徒自身で記述**し、蓄積した記録を振り返ることができるポートフォリオのような教材」であるため、教員が記述するものではない。

2　○　肢文の通り、正しい。

3　×　アルバイトは「キャリア発達を促さないため」が誤り。当該手引きの第２章「高等学校におけるキャリア教育の推進のために」の「第５節 連携の推進」で、「**アルバイト経験は、キャリア発達を促す可能性もあるが**、学業に充てるべき時間が圧迫されたり、生活リズムの乱れにつながったりする例もある。」としていて、キャリア発達を促さないと断定されていない。

4　×「同じような進路を希望する生徒が在籍する高等学校間の横のつながりに重きをおき」が誤り。前出の「第５節 連携の推進」において、高等学校では普通科や総合学科、専門学科などの「**異なる学習環境における学習が、職業による自己実現につながる**」としている。

5　×「職業訓練としての就業体験を実施することが重要」が誤り。ここでいう**インターンシップ**とは、職業訓練ではなく、**主体的な学びの一つの手法として、あるいは創造的人材育成の一環として**捉えられている。

正解 2

ワンポイントアドバイス

自分の学習や課外活動などの取り組みを記録し、成長を確認する、いわゆるキャリア形成活動のポートフォリオと言えるのが「キャリア・パスポート」です。各学校が独自の名称で呼ぶことが可能ですが、キャリア教育にどのように活かされているかを確認しておくと理解が深まります。

問題18 生徒指導⑪

次の文は、「幼稚園、小学校、中学校、高等学校及び特別支援学校の学習指導要領等の改善及び必要な方策等について（答申）」(平成28年12月21日　中央教育審議会）の中の、キャリア教育（進路指導を含む）の記述の一部であるが、下線部については誤りが含まれている場合がある。下線部Ａ～Ｄの語句のうち、正しいものを○、誤っているものを×とした場合、正しい組合せはどれか。１～５から一つ選びなさい。

キャリア教育については、中央教育審議会が平成23年１月にまとめた答申「今後の学校におけるキャリア教育・職業教育の在り方について」を踏まえ、その理念が浸透してきている一方で、例えば、Ａ職場体験活動のみをもってキャリア教育を行ったものとしているのではないか、Ｂ社会への接続を考慮せず、次の学校段階への進学のみを見据えた指導を行っているのではないか、Ｃ職業を通じて未来の社会を創り上げていくという視点に乏しく、特定の既存組織のこれまでの在り方を前提に指導が行われているのではないか、といった課題も指摘されている。また、将来の夢を描くことばかりに力点が置かれ、「働くこと」の現実や必要な資質・能力の育成につなげていく指導が軽視されていたりするのではないか、といった指摘もある。

こうした課題を乗り越えて、キャリア教育を効果的に展開していくためには、Ｄ社会教育活動を通じて必要な資質・能力の育成を図っていく取組が重要になる。

	A	B	C	D
1	○	○	○	○
2	○	○	○	×
3	○	○	×	○
4	○	×	○	○
5	×	○	○	○

学習日 ／ ／ ／

解答解説

A　○　肢文の通り、正しい。

B　○　肢文の通り、正しい。

C　○　肢文の通り、正しい。

D　×　キャリア教育を効果的に展開していくためには、社会教育活動ではなく、**「教育課程全体」を通じて**、必要な資質・能力の育成を図っていく取り組みが重要になる。

平成23年１月中央教育審議会答申「今後の学校におけるキャリア教育・職業教育の在り方について」において、キャリアが意味するものとは、「人が、生涯の中で様々な役割を果たす過程で、自らの役割の価値や自分と役割との関係を見いだしていく連なりや積み重ね」としている。人生全体から見ると、学校教育はほんの一定期間に過ぎないが、社会人・職業人として自立していくために必要となる能力や態度を育成する土台づくりの期間である。だからこそ「教育課程全体」を通じて、キャリア教育を行う必要がある。

正解 2

ワンポイントアドバイス

キャリア発達に関わる基礎的・汎用的能力には４種類あります。この４つについての正誤問題や、名称と説明を結びつける問題が出題されているので整理しておきましょう。

問題1 特別支援教育①

特別支援教育に関する次の記述ア～エを年代の古いものから順に並べたものとして適切なものを１～５から一つ選びなさい。

ア　障害のある児童・生徒等の就学先について、特別支援学校への就学を原則とし、例外的に小・中学校への就学を可能としていた従来の規定から、区市町村教育委員会が個々の児童・生徒等の障害の状態等を踏まえた総合的な観点から就学先を決定する仕組みへと改められた。

イ　国連総会において、締約国は、教育についての障害者の権利を差別なしに、かつ、機会の均等を基礎として実現するため、障害者を包容するあらゆる段階の教育制度及び生涯学習を確保するとした、障害者の権利に関する条約が採択された。

ウ　小学校、中学校、義務教育学校及び中等教育学校の前期課程において実施されている「通級による指導」が、高等学校及び中等教育学校の後期課程においても実施できるよう、学校教育法施行規則が改正された。

エ　スペインのサラマンカにおいて、ユネスコとスペイン政府の共催で、「特別なニーズ教育に関する世界会議」が開かれ、特別なニーズ教育という概念とともに、インクルーシブ教育とインクルーシブな学校の推進を打ち出した声明が採択された。

1　イ　→　ア　→　ウ　→　エ
2　イ　→　ウ　→　エ　→　ア
3　ウ　→　イ　→　ア　→　エ
4　エ　→　イ　→　ア　→　ウ
5　エ　→　ウ　→　イ　→　ア

学習日　／　／　／

解答解説

ア　区市町村教育委員会が障害等のある児童・生徒等の就学先を、原則として特別支援学級とする仕組みに改めたのは**2013年**。

2012年７月に公表された中央教育審議会初等中等教育分科会「共生社会の形成に向けたインクルーシブ教育システム構築のための特別支援教育の推進（報告）」において「就学基準に該当する障害のある子どもは特別支援学校に原則就学するという従来の就学先決定の仕組みを改め、障害の状態、本人の教育的ニーズ、本人・保護者の意見、教育学、医学、心理学等専門的見地からの意見、学校や地域の状況等を踏まえた総合的な観点から就学先を決定する仕組みとすることが適当である。」との提言を踏まえたもの。

イ　「**障害者の権利に関する条約**」が採択されたのは**2006年**。

ウ　**高等学校でも通級制度が実施**できるようになったのは学校教育法施行規則が改正された**2018年**。

エ　スペインのサラマンカで「**特別なニーズ教育に関する世界会議**」が開催されたのは**1994年**。

正解 4

ワンポイントアドバイス

「特別支援教育」には、特別支援学校から通常の学級に在籍する障害のある児童・生徒に対する特別支援まで、広範囲にわたる種類や内容があります。まずはそれぞれの支援の基本的な内容をおさえましょう。

問題2 特別支援教育②

次の各文のうち、「教育支援資料～障害のある子供の就学手続と早期からの一貫した支援の充実～」（平成25年10月　文部科学省初等中等教育局特別支援教育課）に関する記述の内容として誤っているものはどれか。１～５から一つ選びなさい。

1　障害のある子供が、地域社会の一員として、生涯にわたって様々な人々と交流し、主体的に社会参加しながら心豊かに生きていくことができるためには、教育、医療、福祉、保健、労働等の各分野が一体となって、社会全体として、その子供の自立を生涯にわたって支援していく体制を整備することが必要である。

2　就学時に決定した「学びの場」は、固定したものではなく、それぞれの子供の発達の程度、適応の状況等を勘案しながら、小中学校から特別支援学校への転学又は特別支援学校から小中学校への転学といったように、双方向での転学等ができることを、すべての関係者の共通理解とすることが重要である。そのためには、教育相談や個別の教育支援計画に基づく関係者による会議などを定期的に行い、連携を図ることが必要であるが、一貫した教育支援を行うため、個別の教育支援計画を見直すことは適当でない。

3　障害のある子供が、将来の進路を主体的に選択できるよう、子供の実態や進路希望等を的確に把握し、早い段階からの進路指導の充実を図ることが大切である。また、企業等への就職は、職業的な自立を図る上で有効であることから、労働関係機関等との連携を密にした、就労支援を進めることが必要である。

4　「合理的配慮」の決定・提供に当たっては、各学校の設置者及び学校が体制面、財政面をも勘案し、「均衡を失した」又は「過度の」負担について、個別に判断することとなる。各学校の設置者及び学校は、障害のある子供と障害のない子供が共に教育を受けるというインクルーシブ教育システムの構築に向けた取組として、「合理的配慮」の提供に努める必要がある。

5　「合理的配慮」は、一人一人の障害の状態や教育的ニーズ等に応じて決定されるものであり、その前提として、各学校の設置者及び学校は、興味・関心、学習上又は生活上の困難、健康状態等の当該の子供の状態把握を行う必要がある。

学習日　／　／　／

解答解説

1　○　肢文の通り、正しい。

2　×　「個別の教育支援計画を見直すことは適当でない」が誤り。「**必要に応じて個別の教育支援計画を見直し、就学先等を変更できるようにしていくことが適当である**」が正しい。一貫した教育を効果的に進めるためには、小学校から中学校への移行、あるいは特別支援学校から小中学校への転学など、支援の主体が替わる移行期の支援に特に留意する必要がある。移行期の支援とは、児童生徒と保護者が、必要な支援を継続して受けられるとともに、それまでの支援の評価と見直しにより、より良い支援を求めることができるようにすることである。

3　○　肢文の通り、正しい。

4　○　肢文の通り、正しい。

5　○　肢文の通り、正しい。

正解　2

ワンポイントアドバイス

特別支援教育の推進は、どの自治体でも喫緊の課題です。「教育基本法」を基本として、国際的な条約や、改正された「障害者の権利に関する条約」、インクルーシブ教育システム構築に関する中央教育審議会報告などを通して、全体の流れを掴んでおきましょう。

問題3 特別支援教育③

次の各文のうち、「交流及び共同学習ガイド」（平成31年３月　文部科学省）の交流及び共同学習の展開に関する記述の内容として正しいものを○、誤っているものを×とした場合、正しい組合せはどれか。１～５から一つ選びなさい。

A　教職員によって交流及び共同学習に関する取組状況が異なることから、学校全体で取り組むのではなく、個々の教職員の取組に任せ、個別に活動する体制を整えることが大切です。

B　子供が主体的に活動に取り組むことができるようにするためには、活動に見通しをもたせておくことが有効です。そうすることで、障害のある子供も障害のない子供も、互いに自分から活動することができるようになります。

C　交流及び共同学習を、スポーツや文化芸術活動に関するイベントのような形で行う場合は、時間や費用の制約を最優先に考え、単発の交流や一回限りのイベントとして行えるものを計画することが大切です。

D　交流及び共同学習に関する時間だけではなく、その後の日常の学校生活においても、機会をとらえて障害者理解に係る指導を丁寧に継続することが、教育の効果を高めることにつながります。

	A	B	C	D
1	○	○	×	×
2	×	○	×	○
3	○	×	○	×
4	×	○	×	×
5	×	×	○	○

学習日 ／ ／ ／

解答解説

A　×　「学校全体で取り組むのではなく……」以降が誤り。正しくは「教職員によって交流及び共同学習に関する理解や取組状況が異なることから、個々の教職員の取組に任せるのではなく、**校長のリーダーシップの下、学校全体で組織的に継続して取り組むことが大切**」である。

B　○　肢文の通り、正しい。

C　×　「時間や費用の制約を最優先に考え」が誤り。共同学習をイベントのような形で行う場合には、「**時間や費用などを考慮し、日常において無理なく継続的に行えるものを計画する**」が正しい。

D　○　肢文の通り、正しい。

正解 2

ワンポイントアドバイス

特別支援学級における障害の程度は、学校教育施行令第22条の3に示されています。たとえば「両耳の聴力レベルがおおむね60デシベル以上」と数値で覚えるよりも、「全く聞こえないレベル、あるいは補助具をつけてもやや聞こえる程度」であることや、コミュニケーションを取るのが難しいので、発声の練習や手話、指文字などコミュニケーション方法が円滑にできるような教育が必要であることなど、どんな指導や支援が必要なのかを軸に考えましょう。

問題4 特別支援教育④

「教育支援資料～障害のある子供の就学手続と早期からの一貫した支援の充実～」（文部科学省 初等中等教育局特別支援教育課 平成25年10月）に関する記述として適切なものを１～５から一つ選びなさい。

１．自閉症とは、他人との社会的関係の形成の困難さや、言葉の発達の遅れ、興味や関心が狭く特定のものにこだわることを特徴とする発達の障害である。その特徴は、６歳ごろに現れ、すぐに問題が顕在化する。中枢神経系に何らかの要因による機能不全があると推定されている。

２．学習障害とは、基本的には、全般的な知的発達に遅れはないが、聞く、話す、読む、書くなどの能力のうち、特定のものの習得と使用に著しい困難を示す状態のことである。原因としては、中枢神経系に何らかの要因による機能不全があると推定され、視覚障害や聴覚障害、知的障害などの障害や、環境的な要因が直接的な原因とされている。

３．情緒障害とは、状況に合わない感情・気分が持続し、不適切な行動が引き起こされ、それらを自分の意思ではコントロールできないことが継続し、学校生活や社会生活に適応できなくなる状態のことである。情緒障害の状態の現れ方は様々であるが、情緒障害のある子供の教育の目的は、心理的な要因による選択性かん黙等などによる適応不全の改善を中心としている。

４．言語障害とは、話し言葉によるコミュニケーションが円滑に進まず、社会生活上不都合な状態であることをいう。話す、聞く等の言語機能の基礎的事項に発達の遅れや偏りはあるが、聴覚障害のある者、知的発達に遅れのある者は含まれないので、全ての児童・生徒が小・中学校の通常の学級での指導となる。

５．注意欠陥多動性障害とは、年齢あるいは発達に不釣り合いな注意力、又は衝動性・多動性を特徴とする障害であり、学習障害や自閉症を併せ有することはないが、社会的な活動や学校生活を営む上で著しい困難を示す状態のことである。通常７歳以前に現れ、その状態が継続するとされている。

学習日 ／ ／ ／

解答解説

1　×　自閉症の特徴は「6歳ごろに現れ、すぐに問題が顕在化する」が誤り。正しくは、「**3歳ごろまでに現れることが多いが、小学生時代まで問題が顕在化しないこともある**」。

2　×「直接的な原因とされている」が誤り。学習障害の原因は、さまざまな可能性が言われており、**未だはっきりと確定されているものはない**。現在有力視されているものは、遺伝的要因と環境的要因の相互影響である。

3　○　肢文の通り、正しい。選択性かん黙とは、**普段は会話や発言ができるにも関わらず、特定の状況になると話すことが困難になる**こと。授業中に極端に発語しない、あるいは極端に小さな声で話すなどが特徴。

4　×「全ての児童・生徒が小・中学校の通常の学級での指導となる」が誤り。**言語障害**については、障害の程度が比較的軽度な場合には、通常の学級で各教科の指導を行い、障害に応じた特別指導を別の場で行うという「**通級**」が実施されている。

5　×「学習障害や自閉症を併せ有することはないが」は誤り。**注意欠陥多動性障害は**中枢神経に何らかの要因による機能不全があると推定されており、**学習障害や自閉症を併せ有する場合がある**。

正解 3

ワンポイントアドバイス

特別支援学校における障害の程度については、学校教育法施行令第22の3に示されています。障害のある子どもの就学についての正誤問題が出題されているので、整理して理解を深めておきましょう。

問題5 特別支援教育⑤

発達障害や情緒障害のある子供の特性とその特性に応じた指導に関する記述ア～エのうち、「教育支援資料」（文部科学省　平成25年10月）に照らして正しいものを選んだ組合せとして最も適切なものを１～５から一つ選びなさい。

ア　学習障害のある子供は、学習に必要な基礎的な能力のうち、一つないし複数の特定の能力についてなかなか習得できなかったり、うまく発揮することができなかったりする傾向がある。文字を正確に書くことが苦手な場合には、教師は、文章や段落ごとの関係を図示したり、重要な箇所に印を付けたりするなどの指導方法を組み合わせる。

イ　注意欠陥多動性障害のある子供の忘れ物が多い場合には、教師は、興味のあるものとないものなど事柄により違いがあるのかなど、その実態を把握する。

ウ　アスペルガー症候群の子供は、知的発達と言語発達に遅れがあり、一方的に自分の話題を中心に話し、直接的な表現が多く、相手の話を聞かなかったり、相手が誰であっても対等に話をしたりするというコミュニケーションの障害が比較的目立つという特徴がある。教師は、言葉の内容を理解させるために、人の言葉に注意を向ける、人の話を聞くなどの必要な態度を形成し、人との関わりを深めるための基礎作りをねらいとして指導する。

エ　情緒障害のある子供は、通常の学級においては、個別に指導内容を設定することはできないことから、学級における単元等の指導計画による指導内容を焦点化したり重点化したりして、基礎的・基本的な事項の定着に留意する。

1　ア・イ
2　ア・ウ
3　ア・エ
4　イ・ウ
5　イ・エ

学習日 ／ ／ ／

解答解説

ア　×「文章や段落ごとの関係を図示したり、重要な箇所に印を付けたりするなどの指導方法を組み合わせる」という部分は、**文字の間違い指導ではなく文章の読解指導であるため**誤り。

イ　○　肢文の通り、正しい。「教育支援資料　X 注意欠陥多動性障害」の「忘れ物を減らすための指導」に示された内容である。

ウ　×「アスペルガー症候群の子供は、知的発達と言語発達に遅れがあり」が誤り。**アスペルガー症候群の特徴に、知的発達と言語発達の遅れは含まれない**。むしろ言語にこだわりが強い子どもも多く、特定分野の語彙が非常に豊かで「○○博士」と言われることもある。

エ　○　肢文の通り、正しい。「教育支援資料　Ⅶ 情緒障害」の情緒障害のある子どもに対する「通常の学級における配慮」の内容である。

正解　5

ワンポイントアドバイス

特別支援教育の問題は、「特別支援学校」に関するものから通常の学校の中で必要となる「特別支援」まで多岐にわたります。まずは「障害による困難」の基本的な事項をおさえておきましょう。

問題6 特別支援教育⑥

次の各文のうち、「発達障害を含む障害のある幼児児童生徒に対する教育支援体制整備ガイドライン～発達障害等の可能性の段階から、教育的ニーズに気付き、支え、つなぐために～」（平成29年３月　文部科学省）に関する記述の内容として正しいものを○、誤っているものを×とした場合、正しい組合せはどれか。１～５から一つ選びなさい。

A　障害のある児童等が通常の学級に在籍することが多くなっています。通常の学級の担任・教科担任についても、特別支援教育に関する研修の積極的な受講により、適切な指導や必要な支援につなげていく力を身に付けることが期待されています。

B　発達障害をはじめとする見えにくい障害については、通常の学級に在籍する教育上特別の支援を必要とする児童等のつまずきや困難な状況を早期に発見するため、児童等のサインに気付くことや、そのサインを見逃さないことが大切です。

C　通常の学級の担任と保護者だけで情報交換を行っても、課題の解決への支援内容が見つけにくいこともあります。その場合は、校内の他の教職員、校外の専門家等にも相談し、保護者と共にケース会議を開催することが考えられます。

D　教育上特別の支援を行うと、周囲の児童等やその保護者から疑問の声が上がることもあります。そのため、教育上特別の支援の必要性について、学級全ての児童等に十分な理解を深めておくと同時に、周囲の児童等の保護者に対しても、特別な支援の必要性を説明しておくことが大切です。

	A	B	C	D
1	○	○	○	○
2	○	○	○	×
3	○	○	×	○
4	○	×	○	○
5	×	○	○	○

学習日　／　／　／

解答解説

A　○　肢文の通り、正しい。小・中学校の通常の学級に8.8％の割合で、**学習面又は行動面において困難のある児童等が在籍**し、この中には発達障害のある児童等が含まれている可能性があるという推計結果（令和４年文部科学省調査）からも、すべての教員が特別支援教育に関する知識や技能を有することが求められている。

B　○　肢文の通り、正しい。「サイン」とは、文字をよく書き間違える、特定の事柄に注意が向き、私語が多くなったり気が散ったりしてしまう、机や鞄の中が整理できないなどの例が挙げられている。発達障害による**問題行動は、本人の怠けや努力不足、家庭でのしつけ不足によるものなどと誤解されることがある**ので、学級担任や教科担任の理解が求められている。

C　○　肢文の通り、正しい。関係機関や保護者会などで情報共有をする場合、その内容に含まれる**個人情報の取り扱いには注意を払う必要がある**。本人や保護者の同意がなければ個人情報を第三者に提供できないことはもちろんのこと、学校内における情報の保存・管理も適切に行うべきである。

D　○　肢文の通り、正しい。「特別の支援の必要性」の理解を深めるためには、障害者理解教育を推進し、児童生徒が多様性を受け入れる基盤を作る必要がある。ガイドラインでは、「**教員自身が、支援の必要な児童等への関わり方の見本を示しながら、周囲の児童等の理解を促していくことが大切**」としている。

正解　1

ワンポイントアドバイス

同ガイドラインは、学校の設置者、学校、専門家、保護者それぞれの対象に向けて解説されています。取り組み事例も盛り込まれているので、特別支援教育を具体的にイメージできます。

問題7 人権教育①

次の各文のうち、「人権教育・啓発に関する基本計画」（平成23年４月１日 閣議決定（変更））の中の、各人権課題に対する取組に関する記述の内容として正しいものを○、誤っているものを×とした場合、正しい組合せはどれか。１～５から一つ選びなさい。

A　性別に基づく固定的な役割分担意識を是正し、人権尊重を基盤とした男女平等観の形成を促進するため、家庭、学校、地域など社会のあらゆる分野において男女平等を推進する教育・学習の充実を図る。

B　障害者に対する偏見や差別意識を解消し、ノーマライゼーションの理念を定着させることにより、障害者の自立と完全参加を可能とする社会の実現を目指して、人権尊重思想の普及高揚を図るための啓発活動を充実・強化する。

C　高齢者と他の世代との相互理解や連帯感を深めるため、世代間交流の機会を充実させる。

D　外国人に対する偏見や差別意識を解消し、外国人の持つ文化、宗教、生活習慣等における多様性に対して寛容な態度を持ち、これを尊重するなど、国際化時代にふさわしい人権意識を育てることを目指して、人権尊重思想の普及高揚を図るための啓発活動を充実・強化する。

	A	B	C	D
1	○	○	○	○
2	○	○	○	×
3	○	○	×	○
4	○	×	○	○
5	×	○	○	○

学習日 ／ ／ ／

解答解説

A　○　「人権教育・啓発に関する基本計画」の第４章　2(1) 女性 ④による。

B　○　同計画の第４章　2(4) 障害者 ②にある法務省の取組に関する記述である。

C　○　同計画の第４章　2(3) 高齢者 ⑤、内閣府、厚生労働省、文部科学省の取組に関する記述である。

D　○　同計画の第４章　2(7) 外国人 ①にある法務省の取組に関する記述である。

正解　1

ワンポイントアドバイス

いじめや児童虐待、障害者支援や性同一性障害などの社会問題化を受けて、人権教育に関する出題が広がっています。教育原理の分野だけでなく、法規や教育史も含んだ総合的な出題にも備えて準備しておきましょう。

問題8 人権教育②

「人権教育の指導方法等の在り方について［第三次とりまとめ］」（人権教育の指導方法等に関する調査研究会議 平成20年３月）に関する記述として適切なものを１～５から一つ選びなさい。

1．　人権教育及び人権啓発の推進に関する法律では、人権教育を、「国民の間に人権尊重の理念を普及させ、及びそれに対する国民の理解を深めることを目的とする広報その他の啓発活動をいう」と定義している。

2．　人権教育を通じて育てたい資質・能力の「知識的側面」には、他者の痛みや感情を共感的に受容できるための想像力や感受性、人権の歴史や現状についての知識、国内法や国際法等々に関する知識、自他の人権を擁護し人権侵害を予防したり解決したりするために必要な実践的知識等が含まれる。

3．　人権教育を通じて育てたい資質・能力の「価値的・態度的側面」には、人間の尊厳の尊重、自他の人権の尊重、自尊感情・自己開示・偏見等、人権課題の解決に必要な概念に関する知識、社会の発達に主体的に関与しようとする意欲や態度などが含まれる。

4．　人権教育を通じて育てたい資質・能力の「技能的側面」には、多様性に対する開かれた心と肯定的評価、合理的・分析的に思考する技能や偏見や差別を見きわめる技能、協力的・建設的に問題解決に取り組む技能、責任を負う技能などが含まれる。

5．　学校における人権教育の目標は、一人一人の児童生徒がその発達段階に応じ、人権の意義・内容や重要性について理解し、「自分の大切さとともに他の人の大切さを認めること」ができるようになり、それが様々な場面や状況下での具体的な態度や行動に現れるとともに、人権が尊重される社会づくりに向けた行動につながるようにすることである。

学習日 ／ ／ ／

解答解説

1　×　肢文は、人権教育及び人権啓発の推進に関する法律の人権啓発についての定義であるため誤り。人権教育については「**人権尊重の精神の涵養を目的とする教育活動**をいい」と定義している。「涵養」とは、ゆっくりと養い育てることである。

2　×　「知識的側面」が誤り。人権教育を通じて育てたい資質・能力の「知識的側面」については、「人権の歴史や現状についての知識」の他に、「自由、責任、正義、個人の尊厳、権利、義務などの諸概念」などが例として挙げられている。つまり共感力や想像力、感受性などは「知識的側面」ではなく、「**価値的・態度的側面**」の学習で高められる人権感覚である。

3　×　「自尊感情・自己開示・偏見等」が誤り。人権教育を通じて育てたい資質・能力の「価値的・態度的側面」とは、自尊感情ではなく、「**自己についての肯定的態度**」であり、自己開示ではなく「**自他の価値を尊重しようとする意欲や態度**」、偏見ではなく「**多様性に対する開かれた心と肯定的評価**」である。

4　×　「多様性に対する開かれた心と肯定的評価」が誤り。人権教育を通じて育てたい資質・能力の「技能的側面」には「**コミュニケーション技能**」が含まれる。「多様性に対する開かれた心と肯定的評価」は、「**価値的・態度的側面**」である。

5　○　肢文の通り、正しい。

正解　5

ワンポイントアドバイス

学校教育における人権教育は、知識、価値・態度、技能の側面から資質・能力を育てることとされています。この３つの側面については、用語を暗記するだけでなく、実践例とも結びつけてその意味を理解しておきましょう。

問題9 人権教育③

「人権教育の指導方法等の在り方について［第三次とりまとめ］」（人権教育の指導方法等に関する調査研究会議　平成20年３月）に示されている「学校教育における人権教育の改善・充実の基本的考え方」に関する記述として適切なものを１～５から一つ選びなさい。

1　人権教育とは、「人権教育及び人権啓発の推進に関する法律」では、「人間の尊厳に基づいて各人が持っている固有の権利について学習する教育活動」と定義しており、国連の「人権教育のための世界計画」行動計画では「知識の共有、技術の伝達、及び態度の形成を通じ、人権という普遍的文化を構築するために行う」ものとしている。

2　人権感覚とは、人権の価値やその重要性に鑑み、人権が守られることを肯定し、侵害されることを否定するという意味において、価値を志向し、価値に向かおうとする価値志向的な感覚である。これが知的認識とも結びついて、問題状況を変えようとする人権意識又は意欲や態度になり、自他の人権を守るような実践行動に連なると考えられる。

3　人権教育を通じて育てたい資質・能力の「知識的側面」は、人権に関する知的理解に深く関わるものであり、人権の歴史や現状についての知識、国内法や国際法等々に関する知識、偏見や差別を見きわめる技能等が含まれる。

4　人権教育を通じて育てたい資質・能力の「価値的・態度的側面」は、人権感覚に深く関わるものであり、人権教育が育成を目指す価値や態度には、人間の尊厳の尊重、自尊感情や自己開示の概念に関する知識などが含まれ、人権感覚が高められることにつながる。

5　人権教育を通じて育てたい資質・能力の「技能的側面」は、人権感覚に深く関わるものであり、人権教育が育成を目指す技能には、コミュニケーション技能、合理的・分析的に思考する技能、相違を認めて受容できるための諸技能、社会の発達に主体的に関与しようとする意欲や態度、責任を負う技能などが含まれ、人権感覚を鋭敏にする。

学習日　／　／　／

解答解説

1　×　「人間の尊厳に基づいて……学習する教育活動」が誤り。人権教育及び人権啓発の推進に関する法律では、**「人権尊重の精神の涵養を目的とする教育活動」**をいうものとしている。

2　○　肢文の通り、正しい。

3　×　「偏見や差別を見きわめる技能等」は「知識的側面」ではなく「技能的側面」に当たるので誤り。正しくは「**自他の人権を擁護し人権侵害を予防したり解決したりするために必要な実践的知識等が含まれる**」。

4　×　「自尊感情や自己開示の概念に関する知識など」は、価値的・態度的側面ではなく**知識的側面**に当たるので誤り。

5　×　「社会の発達に主体的に関与しようとする意欲」は、技能的側面ではなく**価値的・態度的側面**に当たるので誤り。

正解 2

ワンポイントアドバイス

「いじめ」は児童生徒の人権に関わる重大な問題です。学校における人権教育の充実に向けた取り組みにはどのようなものがあるかチェックしておきましょう。

問題10 人権教育④

「人権教育・啓発に関する基本計画」（平成14年３月15日閣議決定（策定）、平成23年４月１日 閣議決定（変更））に示された人権課題に対する国等の取組に関する記述として適切なものを１～５から一つ選びなさい。

1　校内暴力やいじめ、不登校などの問題の解決に向け、学校への弁護士の配置など教育相談体制の充実をはじめとする取組を推進する。また、問題行動を起こす児童・生徒については、暴力やいじめは許されないという指導を徹底し、必要に応じて出席停止制度の適切な運用や地域ぐるみの支援体制の整備を行う。

2　「敬老の日」「老人の日」「老人週間」の行事を通じ、広く国民が高齢者の福祉について関心と理解を深める取組を推進する。また、高齢化の進展を踏まえ、学校教育活動全体を通じて、高齢者に対する尊敬や感謝の心を育てるとともに、高齢社会に関する基礎的理解や介護・福祉の問題などの課題に関する理解を深めさせる教育を推進する。

3　障害者の自立と社会参加を目指し、特別支援学校等における教育の充実を図るとともに、小・中学校の児童・生徒が障害のある子供に対する支援について専門的な知識を身に付けるため、小・中学校等や地域における交流教育の実施、小・中学校の教職員等のための指導資料の作成・配布、並びに学校教育関係者及び保護者等に対する啓発事業を推進する。

4　国際化の著しい進展を踏まえ、学校教育活動全体を通じて、広い視野をもち、異文化を尊重する態度や異なる習慣・文化をもった人々と共に生きていく態度を育成するためのインクルーシブ教育システムの充実を図る。また、外国人児童・生徒に対して、日本語の指導をはじめ、適切な支援を行っていく。

5　学校においては、情報に関する教科において、インターネット上の誤った情報や偏った情報をめぐる問題を含め、情報化の進展が社会にもたらす影響について知り、情報の収集・発信における個人の責任や情報モラルについて理解させるための教育の充実を図る。また、専門的な知識と技術の習得のための学習を通して、情報に関した資格の取得を推奨する。

学習日　／　／　／

解答解説

1　×　「学校への弁護士の配置」が誤り。正しくは「**スクールカウンセラーの配置**」など、教育相談体制の充実をはじめとする取組を推進する。

2　○　肢文の通り、正しい。

3　×　「小・中学校の児童・生徒が障害のある子供に対する支援について専門的な知識を身に付けるため」が誤り。正しくは「**障害のある子どもに対する理解と認識を促進するため**」。

4　×　インクルーシブ教育は、人間の多様性の尊重等を強化し、障害者が精神的・身体的な能力等を最大限度まで発達させ、自由な社会に効果的に参加することを可能にするという目的で、障害のある者とない者が共に学ぶ仕組みであり、**国際化とは関係ない**。

5　×　「また、専門的な知識と技術の習得のための学習を通して、情報に関した資格の取得を推奨する。」が誤り。人権教育・啓発に関する基本計画では、**情報関連の資格取得を推奨するとの記述はない**。

正解 2

ワンポイントアドバイス

学校における人権教育の充実に向けた取組について、正誤問題が出題されました。人権教育・啓発に関する基本計画において、学校教育で人権教育の施策がどのように推進されるべきと述べられているかをおさえておきましょう。

問題11 人権教育⑤

次の表は、人権に関する宣言及び条約等について年代順にまとめたものである。表中の空欄ア～ウと、空欄に当てはまる宣言及び条約等の名称A～Dとの組合せとして適切なものを１～５から一つ選びなさい。

採択年	宣言及び条約等の名称	内容等の一部及び関連事項
1948年	ア	人権及び自由を尊重し確保するために、すべての人民とすべての国が達成すべき共通の基準を示した。
1966年	イ	経済的、社会的及び文化的権利の確保と市民的及び政治的権利の保障が必要であるとの観点から作成された草案が採択された。
1989年	ウ	飢え、貧困等に苦しむ世界の多くの児童の状況に鑑み、児童の人権の尊重、保護の促進を目指した。

A　国際人権規約
B　児童の権利に関する条約
C　児童の権利に関する宣言
D　世界人権宣言

1　ア－A　イ－B　ウ－C
2　ア－A　イ－D　ウ－C
3　ア－C　イ－D　ウ－B
4　ア－D　イ－A　ウ－B
5　ア－D　イ－A　ウ－C

学習日　／　／　／

解答解説

ア　はD「**世界人権宣言**」の文言。

イ　はA「**国際人権規約**」の文言。

ウ　はB「**児童の権利に関する条約**」の文言。「児童の権利に関する宣言」と間違えやすいが、1959年の「宣言」に法的な拘束力を与えるのが、1989年に締結された「条約」である。

Cの「**児童の権利に関する宣言**」は、**1959年**の第14回国連総会で採択された、**子どもの人権を守るための宣言**。「世界児童人権宣言」「児童の権利に関する宣言」と邦訳される場合もある。よってア、イ、ウのどれでもない。

正解 4

ワンポイントアドバイス

時代の流れを追いながら、人権に係る世界的な宣言や条約を押さえ、内容を整理しておきましょう。人権教育に関しては、受験する自治体によって出題の傾向に特色があるので、受験する自治体の人権教育の傾向を把握しておきましょう。

問題12 食育

次の各文は、食育基本法の条文である。空欄Ａ～Ｃに、あとのア～クのいずれかの語句を入れてこれらの条文を完成させる場合、正しい組合せはどれか。１～５から一つ選びなさい。

第二条　食育は、食に関する［Ａ］を養い、生涯にわたって健全な食生活を実現することにより、国民の心身の健康の増進と豊かな人間形成に資することを旨として、行われなければならない。

第三条　食育の推進に当たっては、国民の食生活が、自然の恩恵の上に成り立っており、また、［Ｂ］に支えられていることについて、感謝の念や理解が深まるよう配慮されなければならない。

第五条　食育は、父母その他の保護者にあっては、家庭が食育において重要な役割を有していることを認識するとともに、子どもの教育、保育等を行う者にあっては、教育、保育等における［Ｃ］、積極的に子どもの食育の推進に関する活動に取り組むこととなるよう、行われなければならない。

ア　生きる力	イ　豊かな人間性
ウ　確かな実践力	エ　適切な判断力
オ　農業従事者の不断の努力	カ　食に関わる人々の様々な活動
キ　食の安全性を確認し	ク　食育の重要性を十分自覚し

	Ａ	Ｂ	Ｃ
１	ア	イ	キ
２	ウ	オ	ク
３	エ	カ	キ
４	エ	カ	ク
５	エ	オ	キ

学習日　／　／　／

解答解説

A　食育は、**食に対する「適切な判断力」を養う教育**である。近年、栄養バランスの偏った食事や不規則な食事が増加していること、青年期に過度なダイエットをする傾向があること、食の安全性に関わる様々な問題が発生していること、フードロスなどのSDGsに関わる課題もあるなど、学校教育で「食に対する適切な判断力」を養うべき課題は多い。

B　学校で食育を扱う場合、**「食に関わる人々の様々な活動」を知ることも大切な目的の一つである。**自分たちの食生活を支えるために、多くの人の努力があることを理解し、感謝の気持ちを持つために、近年、多くの学校で田植え体験や農業体験などを実施している。

C　子どもの教育、保育を行う者にあっては、**教育、保育等における「食育の重要性を十分自覚し」なければならない。**近年、親の残業や子どもの塾通いなど家族のライフスタイルが変化したこと、コンビニの普及や外食・中食産業の発展により、食べたいときに食べたいものだけ食べられるようになったことなどにより、子どもの個食や孤食が増加し、問題化している。食育は学校と家庭、地域社会がその重要性を認識するべき課題である。

正解 4

ワンポイントアドバイス

学校における食育は各教科や学校行事にも関わる問題です。食育基本法とともに「食に関する指導の手引き」、学習指導要領総則編にも示されているので確認しておきましょう。

問題13 インクルーシブ教育

次の各文のうち、「共生社会の形成に向けたインクルーシブ教育システム構築のための特別支援教育の推進（報告）」（平成24年７月23日 中央教育審議会初等中等教育分科会）の中の、「多様な学びの場の整備と学校間連携等の推進」に関する記述の内容として誤っているものはどれか。１～５から一つ選びなさい。

1　教育内容の改善としては、障害者理解を進めるための交流及び共同学習の充実を図っていくことや通常の学級で学ぶ障害のある児童生徒一人一人に応じた指導・評価の在り方について検討する必要がある。
2　教育方法の改善としては、障害のある児童生徒も障害のない児童生徒も、さらには、障害があることが周囲から認識されていないものの学習上又は生活上の困難のある児童生徒にも、効果的な指導の在り方を検討していく必要がある。
3　特別支援教育を推進するため、子どもの現代的な健康課題に対応した学校保健環境づくりが重要であり、学校においては、養護教諭を中心として、学級担任等、学校医、学校歯科医、学校薬剤師、スクールカウンセラーなど学校内における連携を更に進めるとともに、医療関係者や福祉関係者など地域の関係機関との連携を推進することが必要である。
4　交流及び共同学習は、特別支援学校や特別支援学級に在籍する障害のある児童生徒等にとっても、障害のない児童生徒等にとっても、共生社会の形成に向けて、経験を広め、社会性を養い、豊かな人間性を育てる上で、大きな意義を有するとともに、多様性を尊重する心を育むことができる。
5　特別支援学級と通常の学級との間で行われる交流及び共同学習については、学習指導要領に位置付けられていないが、各学校において、ねらいを明確にし、適宜、実施することが望ましい。

学習日 ／ ／ ／

解答解説

1　○　肢文の通り、正しい。

2　○　肢文の通り、正しい。

3　○　肢文の通り、正しい。

4　○　肢文の通り、正しい。

5　×「学習指導要領に位置付けられていない」が誤り。小学校学習指導要領第1章　総則 第5 学校運営上の留意事項 2 イには、特別支援学級と通常の学級との間で行われる交流及び共同学習について「**連携や交流を図るとともに、障害のある幼児児童生徒との交流及び共同学習の機会を設け**」とある。

正解 5

ワンポイントアドバイス

インクルーシブ教育システムの構築は、少子化傾向の中で、支援が必要な児童生徒が増加しており、特別支援教育が一層重要になってきたという教育現場の状況を受けて重要視されています。SDGsの目標4「質の高い教育をみんなに」でも、「すべての人に包摂的＝インクルーシブかつ公正な質の高い教育を確保し」とあります。近年特に注目されるキーワードなので、面接時に「障害のある子どもに対して、どのような合理的配慮ができますか？」などの問いに答えられるように考えておきましょう。

問題1 学校運営①

学校教育における近年の教育課題に関する記述として、中央教育審議会答申等に照らして適切なものを1～5から一つ選びなさい。

1　教員の大量退職、大量採用の影響等による、先輩教員から若手教員への知識・技能の伝承を図ることのできない状況がある。これからの時代の教員には、これまで教員として不易とされてきた資質能力に代わり、情報を適切に収集し、選択し、活用する能力や知識を有機的に結び付け構造化する力などが必要である。
2　学校が抱える課題が複雑化・困難化している状況の中、困難な課題を解決していくためには、地域住民や保護者等が学校運営に積極的に参画することが求められている。これからのコミュニティ・スクールの仕組みの在り方として、学校運営協議会委員の任命において、学校運営協議会の意見を反映する仕組みとする必要がある。
3　教員が授業準備等に集中し、教育の質を高められる環境を構築することが必要である。しかし、勤務時間外に保護者や外部からの問合せに対応するなど、教員の勤務体系の特質から判断して、ICTやタイムカードなどによる教職員の勤務時間の客観的な把握は、学校・教職員の業務改善にはつながらない。
4　学校における働き方改革を進める上で、教職員の休憩時間を確保した上で、学校の諸会議や部活動等について勤務時間を考慮した時間設定を行うことが求められている。部活動の適切な運営については、教員の負担軽減や生徒の休養日を含めた適切な活動時間の設定を行うとともに、部活動指導員の活用や地域との連携等必要な方策を講じることが求められている。
5　子供たちの学力の現状については、国内外の学力調査の結果によると近年改善傾向にある。また、学ぶことの楽しさや意義が実感できているかどうか、自分の判断や行動がよりよい社会づくりにつながるという意識をもてているかどうかという点においても、肯定的な回答が国際的に見て相対的に高いという調査結果がある。

学習日 ／ ／ ／

解答解説

1　×「不易とされてきた資質能力に代わり」が誤り。正しくは「**不易とされてきた資質能力に加え**」である。中央教育審議会答申「これからの学校教育を担う教員の資質能力の向上について～学び合い、高め合う教員育成コミュニティの構築に向けて～」より。

2　×「学校運営協議会の意見」が誤り。正しくは「**校長の意見**」である。校長のリーダーシップが発揮される環境を整えることが目的である。中央教育審議会答申「新しい時代の教育や地方創生の実現に向けた学校と地域の連携・協働の在り方と今後の推進方策について」より。

3　×「学校・教職員の業務改善にはつながらない」が誤り。正しくは「**ICTの活用やタイムカードなどにより勤務時間を客観的に把握し、集計するシステムを直ちに構築することが必要である**」。このような取り組みは、業務改善を進める基礎として求められるとされている。「新しい時代の教育に向けた持続可能な学校指導・運営体制の構築のための学校における働き方改革に関する総合的な方策について（答申）」より。

4　○　肢文の通り、正しい。中央教育審議会「新しい時代の教育に向けた持続可能な学校指導・運営体制の構築のための学校における働き方改革に関する総合的な方策について（答申）」より。

5　×「相対的に高い」が誤り。正しくは「**相対的に低い**」。中央教育審議会答申「幼稚園、小学校、中学校、高等学校及び特別支援学校の学習指導要領等の改善及び必要な方策等について」より。

正解　4

ワンポイントアドバイス

教育活動の体制や内容を体系的に理解しておきましょう。

問題2 学校運営②

次の文章は「生徒指導提要」（令和４年12月　文部科学省）の学級担任・ホームルーム担任の指導に関する記述である。空欄に語句を入れて完成させる場合、正しい組合せはどれか。１～５から一つ選びなさい。

学級・ホームルームは、学校における［ A ］であり、学習集団であり、生徒指導の［ B ］であると捉えることができます。学級・ホームルームは、児童生徒にとって、学習や生活など学校生活の基盤となるものです。児童生徒は、学校生活の多くの時間を学級・ホームルームで過ごすため、自己と学級・ホームルームの他の成員との個々の関係や自己と学級・ホームルーム集団との関係は、学校生活そのものに大きな影響を与えることとなります。教員は、個々の児童生徒が、学級・ホームルーム内でよりよい［ C ］を築き、学級・ホームルームの生活に適応し、各教科等の学習や様々な活動の効果を高めることができるように、学級・ホームルーム内での個別指導や［ D ］を工夫することが求められます。

ア　集団指導　　イ　実践集団　　ウ　生活集団
エ　人間関係　　オ　汎用能力　　カ　指導能力

	A	B	C	D
1	イ	ウ	ア	カ
2	イ	ウ	ア	エ
3	ウ	イ	エ	ア
4	ウ	イ	エ	オ
5	エ	イ	ア	カ

学習日　／　／　／

解答解説

生徒指導提要において学級担任・ホームルーム担任の指導はよく問われるテーマです。教育課程における活動は、学級・ホームルームという土台の上で実践されます。学級・ホームルームは、学校における**生活集団**であり、**学習集団**であり、生徒指導の**実践集団**であると捉えることができます。この視点から正しい語句を選んでいきましょう。

また、全ての児童生徒を対象としたいじめや暴力行為等の課題の未然防止教育は、自己指導能力を育てるとともに、自己の在り方生き方や進路に関わる教育とも言えるものです。児童生徒の**社会的自己実現**を支える教育は、**キャリア教育**（進路指導）と密接に関連し、相互に作用し合うものです。そのため、キャリアを形成していく上で必要な基礎的・汎用的能力を児童生徒が身につけることを、学級・ホームルーム経営の中に位置付けて実践することも重要です。

正解 3

ワンポイントアドバイス

生徒指導提要は生徒指導のガイドブックとも言われます。平成22年３月以来、12年ぶりに改訂されました。改訂版には、いじめの重大事態や児童生徒の自殺者数の増加傾向など近年の学校における重要な課題が盛り込まれています。これに伴って生徒指導・学級運営の在り方も変化していきます。改訂される理由となった社会背景を併せて理解すると、学級運営や生徒指導において必要なことが見えてきます。

問題3 学校運営③

「学校評価ガイドライン（平成28年改訂）」（文部科学省 平成28年３月）の学校評価に関する記述として適切なものを１～５から一つ選びなさい。

1．　学校評価について、法令上、各学校は、自己評価及び学校関係者評価を行い、それらの結果を公表するよう努めることとされている。また、自己評価の結果・学校関係者評価の結果を設置者に報告することが必要とされている。
2．　自己評価の実施に当たっては、数値によって定量的に示すことのできないものに焦点を当てるのではなく、客観的に状況を把握できるよう数値的に捉えて評価を行う。ただし、特定の評価項目・指標等だけに着目し、本来のあるべき姿が見失われることのないようにする。
3．　学校評価は、学校という機関の、組織としての教育活動やマネジメントの状況を評価して、教職員の気付きを喚起し学校運営の改善を促すために行うものであり、人事評価として行う教職員評価と、評価の目的は同一である。
4．　義務教育学校については、義務教育として行われる普通教育を基礎的なものから一貫して施すという目的を達成するため、９年間の学びを通じて達成すべき目標を設定した上で、学年段階の区切りに応じた目標を設定することを基本とする。
5．　各学校においては、法令上の諸基準等を満たしているかという合規性のチェックが重要であるため、学校評価においても、自己評価の評価項目・指標等として、日常点検のチェック項目を各分野にわたり、逐一取り上げて取り組むことが適当である。

学習日 ／ ／ ／

解答解説

1　×「結果を公表するよう努める」が誤り。単に学校評価の結果を公表するだけでなく、「**今後の改善方策と併せて、広く保護者や地域住民等に公表**」することが求められている。

2　×「数値によって定量的に示すことのできないものに焦点を当てるのではなく」が誤り。ガイドラインでは**数値によって定量的に示すことのできないものにも焦点をあてて評価すべき**としている。

3　×「人事評価として行う教職員評価と、評価の目的は同一である」が誤り。ガイドラインでは「**学校評価と教職員の評価はそもそも目的が別**」であると示している。

4　○　肢文の通り、正しい。

5　×「日常点検のチェック項目を各分野にわたり、逐一取り上げて取り組むことが適当である」が誤り。法令上の諸基準等を満たしているかという合規性のチェックは学校評価の項目とは別であり、**学校評価については日常点検のチェック項目を各分野にわたり、逐一取り上げるのは適当ではない**。

正解 4

ワンポイントアドバイス

学校運営は校長の責任のもとに、全職員が協働して行います。職員の中には副校長、教頭、主幹教諭、指導教諭など様々な職があるので、それぞれの職と職務内容を整理しておきましょう。

問題4 学校安全・安全教育①

次の文章は、「『生きる力』をはぐくむ学校での安全教育」（平成31年３月　文部科学省）の「第１章第２節学校安全の考え方」に関する記述である。空欄に語句を入れて完成させる場合、正しい組合せはどれか。１～５から一つ選びなさい。

○　学校安全のねらいは、児童生徒等が自ら安全に行動し、他の人や社会の安全に貢献できる資質・能力を育成するとともに、児童生徒等の安全を確保するための［ア］を整えることである。

○　学校安全の領域は、「生活安全」「交通安全」「災害安全」などがあるが、従来想定されなかった新たな危機事象の出現などにも柔軟に対応し、学校保健や［イ］など様々な関連領域と連携して取り組むことが重要である。

○　学校安全の活動は、安全教育、安全管理から構成されており、相互に関連付けて組織的に行うことが必要である。

○　学校における安全教育は、主に学習指導要領を踏まえ、学校の［ウ］全体を通じて実施する。

○　学校における安全管理・組織活動は、主に［エ］に基づいて実施する。

○　学校安全の推進に関する施策の方向性と具体的な方策は、［オ］ごとに策定する学校安全の推進に関する計画に定められている。

1	ア	環境	イ	生徒指導	ウ	教育活動	エ	学校保健安全法	オ	５年
2	ア	生活	イ	生活指導	ウ	特別活動	エ	学校安全法	オ	10年
3	ア	生活	イ	生徒指導	ウ	教育活動	エ	学校安全法	オ	５年
4	ア	環境	イ	生徒指導	ウ	特別活動	エ	学校安全法	オ	10年
5	ア	環境	イ	生活指導	ウ	教育活動	エ	学校保健安全法	オ	５年

学習日 ／ ／ ／

解答解説

学校安全は、学校保健、学校給食とともに学校健康教育の３領域の１つである。それぞれが独自の機能を担いつつ、相互に関連を図りながら、児童生徒等の健康や安全を確保していく。生涯にわたり、心身の健康を育み、安全を確保することのできる基礎的な素養を育成していくために一体的に取り組まれている。

学校安全の３つの領域

生活安全：学校・家庭など日常生活で起こる事件・事故を取り扱う。誘拐や傷害などの犯罪被害防止も含まれる。

交通安全：様々な交通場面における危険と安全、事故防止が含まれる。

災害安全：地震・津波災害、火山災害、風水（雪）害等の自然災害に加え、火災や原子力災害も含まれる。

正解 1

ワンポイントアドバイス

同資料の「学校安全の意義」や「危機管理マニュアル」も確認しておきましょう。

問題5 学校安全・安全教育②

「『令和の日本型学校教育』の構築を目指して～全ての子供たちの可能性を引き出す、個別最適な学びと、協働的な学びの実現～（答申）」（令和３年１月26日　中央教育審議会）に示されている子供の学びについて誤っているものはどれか。１～４から一つ選びなさい。

1　現在、GIGAスクール構想により学校のICT環境が急速に整備されており、今後はこの新たなICT環境を活用するとともに、少人数によるきめ細かな指導体制の整備を進め、「個に応じた指導」を充実していくことが重要である。
2　教師が支援の必要な子供により重点的な指導を行うことなどで効果的な指導を実現することや、子供一人一人の特性や学習進度、学習到達度等に応じ、指導方法・教材や学習時間等の柔軟な提供・設定を行うことなどの「指導の個別化」が必要である。
3　「協働的な学び」においては、「主体的・対話的で深い学び」の実現のために、集団の中で子供同士が交流し、個の考えよりも集団で考えを一つにまとめることを重視した学習を展開することが重要である。
4　授業の中で「個別最適な学び」の成果を「協働的な学び」に生かし、更にその成果を「個別最適な学び」に還元するなど、「個別最適な学び」と「協働的な学び」を一体的に充実し、「主体的・対話的で深い学び」の実現に向けた授業改善につなげていくことが必要である。

学習日 ／ ／ ／

解答解説

1　○　肢文の通り、正しい。

2　○　肢文の通り、正しい。

3　×「個の考えよりも集団で考えを一つに……」が誤り。第Ⅰ部3（1)「子供の学び」には、「協働的な学びにおいては、集団の中で個が埋没してしまうことがないよう、『主体的・対話的で深い学び』の実現に向けた授業改善につなげ、**子供一人一人のよい点や可能性を生かす**ことで、異なる考え方が組み合わさり，よりよい学びを生み出していくようにすることが大切である」とある。

4　○　肢文の通り、正しい。

正解 3

ワンポイントアドバイス

「『令和の日本型学校教育』の構築を目指して～全ての子供たちの可能性を引き出す、個別最適な学びと、協働的な学びの実現～」は、23年実施の試験で多数の自治体から出題されました。

問題6 教育政策①

次の文章は「第4期教育振興基本計画」（令和5年6月　閣議決定）の2040年以降の社会を見据えた持続可能な社会の創り手の育成に関する記述である。空欄に語句を入れて完成させる場合、正しい組合せはどれか。1～5から一つ選べ。

グローバル化や気候変動などの地球環境問題、少子化・人口減少、都市と地方の格差などの社会課題やロシアのウクライナ侵略による国際情勢の不安定化の中で、一人一人の［A］を実現していくためには、この社会を持続的に発展させていかなければならない。特に我が国においては少子化・人口減少が著しく、将来にわたって財政や社会保障などの社会制度を持続可能なものとし、現在の経済水準を維持しつつ、活力あふれる社会を実現していくためには、一人一人の［B］と多様な人材の社会参画を促進する必要がある。また、社会課題の解決と経済成長を結び付けて新たなイノベーションにつながる取組を推進することが求められる。［C］においてこれらを実現していくために不可欠なのは「人」の力であり、「［D］」を通じて社会の持続的な発展を生み出す人材を育成していかなければならない。

ア　人への投資　　イ　生産性向上　　ウ　ウェルビーイング
エ　Society 5.0　　オ　設備への投資　　カ　基礎学力向上

	A	B	C	D
1	イ	ウ	ア	カ
2	イ	ウ	ア	エ
3	ウ	イ	エ	ア
4	ウ	イ	エ	オ
5	エ	イ	ア	カ

学習日　／　／　／

解答解説

Society 5.0においては、「主体性」、「リーダーシップ」、「創造力」、「課題設定・解決能力」、「論理的思考力」、「表現力」、「チームワーク」などの資質・能力を備えた人材が期待されている。こうした要請も踏まえ、個々人が自立して自らの個性・能力を伸長するとともに、多様な価値観に基づいて**地球規模課題**の解決等をけん引する人材を育成していくことも重要である。
さらに、日本社会に根差した**ウェルビーイング**の向上が求められている。ウェルビーイングとは身体的・精神的・社会的に良い状態にあることをいい、短期的な幸福のみならず、生きがいや人生の意義など将来にわたる**持続的な幸福**を含むものである。また、個人のみならず、個人を取り巻く場や地域、社会が持続的に良い状態であることを含む**包括的な概念**である。

正解 3

ワンポイントアドバイス

社会のさまざまな変化に伴って教育改革が推進されています。問題は直近の答申、通知、報告を中心に出題されているので、教育改革に関係のある社会の出来事と共に内容を押さえておきましょう。

問題7 教育政策②

次の各文のうち、「性同一性障害に係る児童生徒に対するきめ細かな対応の実施等について」（平成27年４月30日文部科学省）の中の具体的な配慮事項等の記述の内容として正しいものを○、誤っているものを×とした場合、正しい組合せはどれか。１～５から一つ選びなさい。

A　保護者が、その子供の性同一性に関する悩みや不安等を受容している場合は、学校と保護者とが緊密に連携しながら支援を進めることが必要であること。

B　学級・ホームルームにおいては、いかなる理由でもいじめや差別を許さない適切な生徒指導・人権教育等を推進することが、悩みや不安を抱える児童生徒に対する支援の土台となること。

C　性同一性障害に係る児童生徒の支援は、最初に相談（入学等に当たって児童生徒の保護者からなされた相談を含む。）を受けた者だけで抱え込むことなく、組織的に取り組むことが重要であり、学校内外に「サポートチーム」を作り、「支援委員会」（校内）やケース会議（校外）等を適時開催しながら対応を進めること。

D　教職員としては、悩みや不安を抱える児童生徒の良き理解者となるよう努めることは当然であり、このような悩みや不安を受け止めることの必要性は、性同一性障害に係る児童生徒だけでなく、「性的マイノリティ」とされる児童生徒全般に共通するものであること。

	A	B	C	D
1	○	○	○	○
2	○	○	○	×
3	○	○	×	○
4	○	×	○	○
5	×	○	○	○

学習日　／　／　／

解答解説

A　○　肢文の通り、正しい。保護者が受容していないケースや、そもそも本人が保護者に知らせていないケースも考えられる。平成26年の文部科学省の調査では、**約６割の児童生徒が他の児童生徒や保護者に知らせておらず**、その中には、秘匿したまま学校として可能な対応を進めている事例もあった。

B　○　肢文の通り、正しい。いじめを生まない人権指導として、**性同一性障害に係る児童生徒と、他の児童生徒への配慮との均衡**も考える必要がある。例えば性同一性障害の生徒に職員用トイレの使用を認めるなど、他の児童生徒や保護者にも配慮した対応を行っている例がある。

C　○　肢文の通り、正しい。サポートチームの具体例としては、学校内では**相談を受けた者、管理職、学級・ホームルーム担任、養護教諭、学校医、スクールカウンセラー**など。学校外のチームには、**教育委員会、医療機関の担当者**などが含まれている。

D　○　肢文の通り、正しい。「自殺総合対策大綱」（令和４年10月14日閣議決定）においては、「自殺念慮の割合等が高いことが指摘されている性的マイノリティについて、無理解や偏見等がその背景にある社会的要因の一つであると捉えて、**教職員の理解を促進する。**」とされている。

正解　1

ワンポイントアドバイス

「性同一性障害に係る児童生徒に対するきめ細かな対応の実施等について」からの出題は頻出です。具体的な事例や学校の対応例を知っておくと、性同一性障害を取り巻く状況や、本人あるいは保護者、そしてクラスメイトである児童生徒に対する理解が深まります。

問題8 教育政策③

次の各文のうち、「性同一性障害に係る児童生徒に対するきめ細かな対応の実施等について」（平成27年4月30日　文部科学省）の中の、具体的な配慮事項等の記述の内容として正しいものを○、誤っているものを×とした場合、正しい組合せはどれか。1～5から一つ選びなさい。

A　教職員等の間における情報共有に当たっては、児童生徒が自身の性同一性を可能な限り秘匿しておきたい場合があること等に留意しつつ、一方で、学校として効果的な対応を進めるためには、教職員等の間で情報共有しチームで対応することは欠かせないことから、当事者である児童生徒やその保護者に対し、情報を共有する意図を十分に説明・相談し理解を得つつ、対応を進めること。

B　性同一性障害に係る児童生徒が求める支援は、当該児童生徒が有する違和感の強弱等に応じ様々であり、また、当該違和感は成長に従い減ずることも含め変動があり得るものとされていることから、学校として先入観をもたず、その時々の児童生徒の状況等に応じた支援を行うことが必要であること。

C　医療機関を受診して性同一性障害の診断がなされない場合であっても、児童生徒の悩みや不安に寄り添い支援していく観点から、医療機関との相談の状況、児童生徒や保護者の意向等を踏まえつつ、支援を行うことは可能であること。

D　性同一性障害に係る児童生徒や「性的マイノリティ」とされる児童生徒は、自身の状態を秘匿しておきたい場合があること等を踏まえつつ、学校においては、日頃より児童生徒が相談しやすい環境を整えていくことが望まれること。

	A	B	C	D
1	○	○	○	○
2	○	○	○	×
3	○	○	×	○
4	○	×	○	○
5	×	○	○	○

学習日　／　／　／

解答解説

A　○　肢文の通り、正しい。性同一性障害に係る児童生徒を把握するために、学校は積極的にアンケートなどを行うのではなく、**教職員が正しい知識を持ち、日頃より児童生徒が相談しやすい環境を整えていく**ことが望まれている。

B　○　肢文の通り、正しい。児童生徒が性に違和感をもつことを打ち明けた場合であっても、本人が適切な知識をもっているとは限らず、そもそも**性同一性障害なのかその他の傾向があるのかも判然としていない場合**もあることを踏まえておくことも重要である。

C　○　肢文の通り、正しい。ただし、**我が国においては、性同一性障害に対応できる専門的な医療機関が多くない**。同資料では専門医や専門的な医療機関については関連学会等の提供する情報を参考とするとしている。

D　○　肢文の通り、正しい。児童生徒が相談しやすい環境として、「ある児童生徒が、その戸籍上の性別によく見られる服装や髪型等としていない場合、性同一性障害等を理由としている可能性を考慮し、そのことを**一方的に否定したり揶揄したりしないこと**」という具体例が挙げられている。

正解 1

ワンポイントアドバイス

性同一性障害の児童生徒を支援するグループにはいくつか種類があるので整理しておきましょう。「サポートチーム」は性同一性障害に係る児童生徒を校内外の構成員によって支援する組織、「支援委員会」は校内の構成員によって機動的に開催する会議、「ケース会議」は校外の医療従事者等に識見を求める際に開催する会議を想定しています。

問題9 教育政策④

「『令和の日本型学校教育』の構築を目指して～全ての子供たちの可能性を引き出す、個別最適な学びと、協働的な学びの実現～（答申）」（令和３年１月26日　中央教育審議会）に関する記述として誤っているものはどれか。１～４から一つ選びなさい。

1　小学校における教科担任制の導入は、教師の持ちコマ数の軽減や授業準備の効率化により、学校教育活動の充実や教師の負担軽減に資するものである。

2　小学校、中学校、高等学校段階における１人１台端末環境の実現や学校内の通信ネットワーク環境の整備などにより、全国津々浦々の学校において指導・支援の充実等がなされている。

3　高等学校改革を取り上げた本提言において、STEAM教育は「各教科での学習を実社会での問題発見・解決にいかしていくための教科横断的な教育」とされている。

4　特別支援教育は、発達障害のある子どもも含めて、障害により特別な支援を必要とする子どもが在籍する一部の学校において実施されるものである。

学習日　／　／　／

解答解説

1　○　肢文の通り、正しい。

2　○　肢文の通り、正しい。

3　○　肢文の通り、正しい。

4　×　「一部の学校」が誤り。特別支援教育は、障害により特別な支援を必要とする子どもが在籍する**全ての学校**において実施されるものである。

正解 4

ワンポイントアドバイス

中教審答申「『令和の日本型教育』の構築を目指して～全ての子供たちの可能性を引き出す、個別最適な学びと、協働的な学びの実現～」には、今後の学校教育の指針が示されています。今後の課題として、情報化への対応の遅れや感染症への対応、教師の長時間労働などが挙げられており、課題の解決に向けた動きも示されているのでおさえておきましょう。

問題10 教育政策⑤

次の文章は「第４期教育振興基本計画」（令和５年６月　閣議決定）のグローバル社会における人材育成・外国語教育の充実に関する記述である。空欄に語句を入れて完成させる場合、正しい組合せはどれか。１～５から一つ選べ。

・外国語でコミュニケーションを図る資質・能力を着実に育成するため、教材・指導資料の配布やデジタルを使用したパフォーマンステストの実施など［　A　］の一層の活用促進、教師の養成・採用・研修の一体的な改善、特別免許状の活用や専科教師・［　B　］（ALT）配置等の学校指導体制の充実など、総合的に推進する。
・各都道府県等の負担軽減など必要な改善を行いつつ、「［　C　］」の策定とそれに基づく計画的な取組を促し、英語教育実施状況調査等を通して継続したフォローアップを行うことにより、［　D　］を着実に機能させ、生徒や教師の英語力や指導力の向上を図る。
・大学入学者選抜において、「読む・書く・聞く・話す」の４技能に関する総合的な英語力を適切に評価するため、各大学の個別選抜について、優れた取組を幅広く普及するなど、各大学の取組を推進していく。

ア　英語教育改善プラン　　イ　ICT　　ウ　外国語指導助手
エ　PDCAサイクル　　オ　国際バカロレア　　カ　研究ネットワーク

	A	B	C	D
1	イ	ウ	ア	カ
2	イ	ウ	ア	エ
3	ウ	イ	エ	ア
4	ウ	イ	エ	オ
5	エ	イ	ア	カ

学習日　／　／　／

解答解説

伝統と文化を尊重し、それらを育んできた我が国と郷土を愛するとともに、他国を尊重し、国際社会の平和と発展に寄与する態度が求められている。そのためには、**豊かな語学力**、異なる文化・価値を乗り越えて関係を構築するための**コミュニケーション能力**が必要となる。そこで、**新しい価値**を創造する能力、主体性・積極性・包摂性、異文化・多様性の理解や社会貢献、国際貢献の精神等を身に付けて様々な分野・地域で**国際社会の一員**として活躍できる人材を育成することになっている。また、日本社会の多様性・包摂性を高めるとともに、**日本を深く理解する外国人**を養成するため、外国人学生・生徒の受入れを推進する。

正解 2

ワンポイントアドバイス

教育改革には、大きな変革を迎えたいくつかのポイントがあります。子どもの貧困対策、性同一性障害の支援、持続可能な社会の創り手を育む教育（ESD）など、社会的にも注目されている事柄はしっかりと理解しておきましょう。

問題11 教育政策⑥

次の各文のうち、A～Dの各教諭の行為について、不適切なもののみをすべて挙げているものはどれか。1～5から一つ選びなさい。

ア　A教諭は、生徒の体力向上に活かすために、スポーツジムを経営している友人に、生徒の名前や在籍学年が記載されている体力テストの測定結果一覧表を提供し、分析を個人的に依頼した。その際、くれぐれも取扱いを注意するように何度も確認した。

イ　B教諭は、いつでも保護者に連絡できるように、担任する児童40人分の連絡先をカバンの中に入れて持ち歩いていた。ある日の帰宅途中に、B教諭はそのカバンを電車に置き忘れてしまった。持ち歩いていた連絡先には、児童の住所、電話番号などが含まれていた。

ウ　C教諭は、修学旅行の学級レクリエーションで熱心に活動している生徒の様子を撮影し、コメントを付けてSNSに画像を掲載した。画像として、生徒たちの活動の様子が分かるような全体の集合写真と、一人ひとりの表情が分かるような個人写真を、生徒や保護者の了解を得ないまま使用した。

エ　D教諭は、友人と二人で食事に行った際、二人の共通の知人であるFさんの話をした。FさんはD教諭が部活動の顧問をしている生徒Gさんの保護者であり、様々な家庭事情を抱えていた。D教諭はGさんを指導した際に知った家庭内の様々な事情を、誰にも言わないということを条件に友人に話した。

1　ア　イ　ウ
2　ア　イ　エ
3　ア　ウ　エ
4　イ　ウ　エ
5　ア　イ　ウ　エ

学習日　／　／　／

解答解説

ア　×「何度も確認した」が誤り。文部科学省の「学校における生徒等に関する個人情報の適正な取扱いを確保するために事業者が講ずべき措置に関する指針」では、「**委託先が委託を受けた個人データの安全管理のために講ずべき措置の内容が委託契約において明確化されていること。**」を求めている。つまり、生徒の個人情報を複製はしないことや、情報が漏洩した場合の「スポーツジムの友人の責任」を明確化するなどを示した委託契約書を交わす必要がある。

イ　×「担任する児童40人分の連絡先をカバンの中に入れて持ち歩いていた。」が誤り。文部科学省は「学校から個人情報を持ち出す場合には、**情報管理者の許可**を得るなどのルールを明確化」し、個人情報漏えいへの防止対策を徹底するよう通知している。

ウ　×「生徒や保護者の了解を得ないまま使用した。」が誤り。文部科学省は、生徒・学生の個人情報の公開にあたっての留意事項として、「**不必要な個人情報は公開しないことが前提**」「個人が特定できる写真が学校関係者以外の目に触れる場合、**プライバシーの保護の観点、または被写体の肖像権保護の観点**からも、撮影する写真の利用目的、利用範囲を本人と保護者に説明し、同意を得た上で撮影することが望まれる」としている。

エ　×「誰にも言わないということを条件に友人に話した」が誤り。地方公務員法第34条第１項では、「**職員は、職務上知り得た秘密を漏らしてはならない。**」と定めている。D教諭が友人に話したのは「職務上知り得た秘密」であり、秘密を守る義務を果たしていない。

正解 5

ワンポイントアドバイス

ICTが発達した令和の教育においては、SNSによるいじめ問題や個人情報の保護という課題があることも認識しておきましょう。

問題12 教育政策⑦

次の各文のうち、「外国人児童生徒受入れの手引（改訂版）」（2019年３月　文部科学省総合教育政策局男女共同参画共生社会学習・安全課）の在籍学級担任の役割に関する記述の内容として正しいものを○、誤っているものを×とした場合、正しい組合せはどれか。１～５から一つ選べ。

A　グローバル化が進展する中、世界中で多くの人々が国境を越えて移動しており、日本の児童生徒を含め、子供たちはすべていずれの国においても、地域や学校にしっかりと受け入れられることが重要です。これは、世界の動向をしっかりと把握し、国籍にかかわりなくすべての児童生徒を大切にする視点です。

B　異文化の中で育っていく児童生徒は、言葉の問題や異文化間での価値観、習慣の違いなどについて、一人一人が課題を抱えていますが、きめ細やかな指導を個に応じて行うよりも、児童生徒が自然に学級に溶け込む中で、徐々に解決していけるように見守る視点が必要です。

C　在籍学級の児童生徒にとって、その国籍にかかわらず、学級に新しい仲間が増えることは、大きな喜びですが、多少の不安も抱えているものです。しかし、編入してくる児童生徒やその家族の不安はそれよりも大きいものです。学級担任の温かな姿勢としっかりと配慮した受入れ体制づくりが求められます。

D　来日したばかりの子供が、まず初めに直面する問題は、日本語が分からない、ということです。日本語指導については国語の指導と大きくは変わらないことから、学級担任や教科担任が国語の指導の中で適宜行うことが大切です。

	A	B	C	D
1	○	○	○	○
2	○	×	×	○
3	○	×	○	×
4	×	○	×	×
5	×	×	○	○

学習日　／　／　／

解答解説

A　○　肢文の通り、正しい。

B　×「きめ細やかな指導を個に応じて行うよりも」が誤り。外国人児童生徒の生活環境や育った背景は一人一人違うので、**個々の状況を見ながらきめ細やかな指導を行うべき**である。例えば外国人児童生徒等が在籍する学校においては「**特別の教育課程**」を編成・実施することができる。「特別の教育課程」とは、外国人児童生徒等が日本語で学校生活を営み学習に取り組めるように、日本語や各教科の指導等について児童生徒一人一人に応じて編成する教育課程である。

C　○　肢文の通り、正しい。

D　×「日本語指導については国語の指導と大きくは変わらないことから……」以下が誤り。**日本語指導に関しても**Bで述べた「特別の教育課程」のような**一人一人に合った指導が必要**である。また、外国人児童生徒等が日本の学校で学ぶことにより、触れる機会の少なくなる母語・母文化も尊重しなければならない。そこで課外において、「継承語」という位置付けでそれを尊重し、習得を援助することが望まれている。

正解 3

ワンポイントアドバイス

令和の日本型学校教育の構築を目指す中央教育審議会答申では、「増加する外国人児童生徒等への教育の在り方について」についても触れられています。可能性を引き出すべき「全ての子どもたち」には、外国人児童生徒が含まれています。また「協働的な学び」を実現するためには、多様な文化や価値観を持つ外国人児童生徒とも協働できる学習環境を構築すべきであることも理解しておきましょう。

問題13 教育政策⑧

次の各文のうち、A～Dの各教諭の行為について、不適切なもののみをすべて挙げているものはどれか。1～5から一つ選べ。

ア　小学校で勤務するA教諭は、担任をしている学級の算数科の授業で、片面使用済みの用紙を再利用して印刷した模範解答を児童へ配付し、持ち帰らせた。そのうち数枚の裏面には、A教諭が数日前の学年会議時に使用した、食物アレルギーを有する児童や食べ物の名前等が記載された一覧表が印刷されていた。

イ　小学校で勤務するB教諭は、保護者との個人懇談終了後、懇談で得た個人情報を記録したノートを教室内の事務机の上に置いたまま帰宅した。そのノートには、児童の名前や家庭環境、健康・病歴情報等が複数人分記載されていた。勤務校では、個人情報を含む資料等を保管する場合、職員室内の鍵のかかる所定の場所に保管する校内のルールが定められていた。

ウ　中学校で勤務するC教諭は、文化祭で活動している生徒一人ひとりの様子を、表情が分かる状態でデジタルカメラを用いて撮影した。その後、撮影された生徒本人やその保護者の許可を得ないまま、撮影した画像を加工せずにSNSに掲載し、不特定多数の人が閲覧できる状態にした。

エ　中学校のバスケットボール部の顧問であるD教諭は、翌朝に他校で実施する公式試合のために、バスケットボール部に所属している生徒の連絡先を勤務校の校長の許可を得ずに持ち帰り、飲食店に立ち寄ってから帰宅した。その際に、D教諭はカバンを飲食店に置き忘れ、紛失してしまった。そのカバンには、生徒の名前や住所、緊急連絡先等の一覧表が入っていた。

1　ア　イ　ウ
2　ア　イ　エ
3　ア　ウ　エ
4　イ　ウ　エ
5　ア　イ　ウ　エ

学習日　／　／　／

解答解説

ア　×　食物アレルギーを有する児童の名前などが裏面に記された紙を、再利用したところが不適切。この行為は、**個人情報取り扱いについて著しい過失がある。**

イ　×　**個人情報を記したノートを机の上に放置して帰宅した行為**が不適切。たとえ問題文のように、勤務する学校で個人情報の取り扱いに関するルールが決まっていなくても、教室の机の上に放置した児童の個人情報が、他の生徒からのいじめやからかいの原因になることは十分に考えられるので、取り扱いには十分注意すべきである。

ウ　×　個人が特定できる写真やビデオは個人情報であり、不特定多数が目にする**SNSなどに公開するときには、保護者の許可が必要**なので不適切である。また近年では、SNSに公開された個人情報がストーカーやいじめの原因になる事例もあるので、C教諭の行為は不用意で不適切である。

エ　×　生徒の連絡先などの**個人情報を、校長の許可を得ずに学校外に持ち出した行為**は不適切である。

正解　5

ワンポイントアドバイス

社会を取り巻く状況や時代の変化と共に、令和時代の教員に求められる資質能力も変化しています。「学び続ける教師像」に始まり、「主体的・対話的で深い学び」が実現できる授業など、キーワードを軸に具体的な内容を理解しておきましょう。

問題1 学習指導要領の変遷

公立学校における小中一貫教育及び中高一貫教育に関する記述として適切なものを１～５から一つ選びなさい。

1　義務教育学校は、小中一貫教育を行う学校として平成11年４月から、中等教育学校は、中高一貫教育を行う学校として平成28年４月から、設置が可能となった。

2　義務教育学校は、９年間の教育課程において「５－４」などの柔軟な学年段階の区切りを設定することも可能であるが、この区切りに基づいて教科担任制を導入することはできない。

3「義務教育学校」という名称は、法律上の学校の種類を表す名称であるので、個別の学校の具体的な名称にも「義務教育学校」と付さなければならない。

4　中高一貫教育を行う学校のうち、併設型の中学校・高等学校における中高一貫教育においては、特色ある教育課程を編成できるような教育課程の基準の特例は定められていない。

5　中等教育学校の前期課程における指導の内容の一部については、中等教育学校の後期課程における指導の内容に移行して指導することができる。

学習日　／　／　／

解答解説

1　×　**義務教育学校**は「平成11年４月から」ではなく**平成28年４月から**、**中等教育学校**は「平成28年４月から」ではなく**平成11年４月から**可能となった。

義務教育学校とは、９年間の学校教育目標を決めて、小学校と中学校が一貫した教育を行う学校種。中等教育学校とは、中学校で行う教育と高等普通教育及び専門教育を６年間一貫して行う学校種。

2　×「教科担任制を導入することはできない。」が誤り。**義務教育学校**は教科指導の専門性を持った教師によるきめ細やかな指導と、中学の学びにつながる系統的な指導の充実を図る観点から、**「小学校高学年」からの教科担任制は推進されている**。

3　×「個別の学校の具体的な名称にも「義務教育学校」と付さなければならない」が誤り。義務教育学校は「義務教育に関する制度の見直し」が行われた結果、「我が国における学校の種類として、新たに義務教育学校を設ける」と定められたもの。つまり法律上の学校の種類を表す名称であって、**学校名に必ず「義務教育学校」という名前をつけるよう義務付けられていない**。

4　×「教育課程の基準の特例は定められていない」が誤り。中高一貫校には通常の公立中学・公立高校とは異なる独自のカリキュラムの設立が認可されている。併設型の中高一貫校は、高校からの生徒募集があるのが特徴だが、完全な６年間中高一貫校と同じように、特色ある教育指導ができるように**教育課程の基準の特例を設けることになっている**。

5　○　肢文の通り、正しい。

正解 5

ワンポイントアドバイス

中高一貫教育を行う学校には「中等教育学校」「併設型」「連携型」などがあります。

問題2 学習指導要領のポイント①

小学校学習指導要領（平成29年３月告示）総則に関する記述として適切なものを１～５から一つ選びなさい。

1　教科等横断的な視点に立った資質・能力の育成について、豊かな人生の実現や災害等を乗り越えて次代の社会を形成することに向けた現代的な諸課題に対応して求められる資質・能力を、教科等横断的な視点で育成していくことができるよう、各学校の特色を生かした教育課程の編成を図るものとするとされている。

2　教育課程の編成に当たって、学校段階等間の接続を図る上での配慮事項として、幼稚園教育要領等に基づく幼児期の教育を通して育まれた資質・能力は、幼児期の終わりまでに育ってほしい姿であるため、小学校入学当初は、幼児期の教育と小学校における各教科等で育成する資質・能力の違いを明確にした指導の工夫を行うこととされている。

3　教育課程の編成における内容等の取扱いにおいて、学年の内容を２学年まとめて示した教科及び外国語活動の内容は、いずれかの学年に分けた上で２学年間かけて指導する事項を示したものであるため、各学校においては、特に示す場合を除き、必ずいずれかの学年に分けて指導を行うこととされている。

4　教育課程の編成における授業時数等の取扱いにおいて、各教科等の授業は、年間35週（第１学年については34週）以上にわたって行うよう計画することとされており、児童の負担過重とならないようにするために、夏季、冬季、学年末等の休業日の期間を含め、特定の期間に集中して授業を行わないこととされている。

5　学習評価の充実に当たっては、学習の過程を評価することは児童の学習の成果を的確に捉えることとはならないため、各教科等の目標が達成されたかどうか評価する際には、学習の途中段階での評価はせず、単元や題材など内容や時間のまとまりを見通しながら学習の状況を把握し、単元や題材などのまとめの学習の際に学習の成果を評価することとされている。

学習日　／　／　／

解答解説

1　○　肢文の通り、正しい。

2　×「違いを明確にした指導の工夫を行う」が誤り。正しくは「**幼児期の教育を通して育まれた資質・能力を更に伸ばしていくことができるようにすることが重要**」である。小学校と幼稚園の教育の違いを明確にするのではなく、幼稚園と小学校低学年の学校段階等間の接続を図るのが目的である。

3　×「必ずいずれかの学年に分けて指導を行うこと」が誤り。正しくは「**いずれかの学年に分けて、又はいずれの学年においても指導する**」である。２学年を見通して計画的に指導される教科は、当該学年間を見通して、児童や学校、地域の実態に応じ、児童の発達の段階を考慮しつつ、効果的、段階的に指導する」と総則に記載されている通り、必ず学年に分けて指導を行う必要はない。

4　×「特定の期間に集中して授業を行わないこと」が誤り。授業日の設定は学習活動や各教科の特質に応じて行われる。中には特定の期間に集中して授業を実施した方が効果的な教科もあるので、「**夏季、冬季、学年末等の休業日の期間に授業日を設定する場合を含め、これらの授業を特定の期間に行うことができる**」が正しい。

5　×「学習の途中段階での評価はせず」が誤り。正しくは「学習の過程の適切な場面で評価を行う必要がある」である。評価に関しては、児童生徒が学習の価値を実感して学習意欲を高めることができるよう、学習の過程こそ重視すべきとされている。

正解 1

ワンポイントアドバイス

小学校の新学習指導要領は、「主体的、対話的で深い学び」や、新設された外国語科に関わる部分がポイントです。今、小学校に求められる教育の在り方が凝縮される部分なので、しっかりと読み込んでおきましょう。

問題3 学習指導要領のポイント②

小学校学習指導要領（平成29年３月告示）総合的な学習の時間に関する記述として適切なものを１～５から一つ選びなさい。

1　目標において、育成を目指す資質・能力の一つとして、学び方やものの考え方を身に付け、問題の解決や探究活動に主体的、創造的、協同的に取り組む態度を育て、自己の生き方を考えることができるようにすると示されている。
2　目標を実現するにふさわしい探究課題について、現代的な諸課題に対応する横断的・総合的な課題を必ず設定することと示されており、その上で、学校の実態に応じて、学校の特色に応じた課題、児童の興味・関心に基づく課題を設定することができる。
3　探究課題の解決を通して育成を目指す具体的な資質・能力のうち、学びに向かう力、人間性等については、自分自身に関すること及び他者や社会との関わりに関することの両方の視点を踏まえることとされている。
4　内容の取扱いの配慮事項について、自然体験やボランティア活動などの社会体験、ものづくり、生産活動などの体験活動に加えて、今回の改訂では新たに、観察・実験、見学や調査、発表や討論などの学習活動を積極的に取り入れることとされている。
5　児童がプログラミングを体験しながら、コンピュータに意図した処理を行わせるために必要な論理的思考力を身に付けるための学習活動を行う場合には、プログラミング的思考を育成することを通して、コーディングを覚え習得することとされている。

学習日 ／ ／ ／

解答解説

1　×　この文章は平成20・21年改訂の小学校学習指導要領における、総合的な学習の時間の目標についての記述であるため誤り。今回改訂された総合的な学習の時間の目標は、「『探究的な見方・考え方』を働かせ、総合的・横断的な学習を行うことを通して、よりよく課題を解決し、自己の生き方を考えていくための資質・能力を育成することを目指すものであることを明確化した。」である。

2　×「必ず設定することと示されており」が誤り。「現代的な諸課題に対応する横断的・総合的な課題」とは、探求課題の設定の一例に過ぎない。他に学校の実態に応じて、地域の人々の暮らし、伝統と文化など地域や学校の特色に応じた課題、児童の興味・関心に基づく課題などが挙げられている。

3　○　肢文の通り、正しい。

4　×「観察・実験、見学や調査、発表や討論などの学習活動を積極的に取り入れる」は、平成20・21年の改訂で加えられたものなので誤り。

5　×「コーディングを覚え習得すること」が誤り。プログラミングの体験は、時代を超えて普遍的に求められる論理的思考力など「プログラミング的思考力」の育成が目的であって、コーディングを覚え習得するのが目的ではない。

正解 3

ワンポイントアドバイス

平成29～31年版の学習指導要領は、「社会に開かれた教育課程の実現」「カリキュラムマネジメントの確立」「主体的・対話的で深い学び」がポイントです。以前の改訂版との違いを比較しながら理解しておきましょう。

問題4 学習指導要領のポイント③

小学校学習指導要領特別活動の学校行事に照らして最も適切なものを1～5から一つ選びなさい。

1． A教諭は、儀式的行事において、学校生活に有意義な変化や折り目を付けるため、新入生との対面式を計画し、そのねらいを、「自他のよさを見付け合い、自己の成長を振り返り、積極的に自己を伸長しようとする態度を養う。」と設定した。
2． B教諭は、文化的行事において、平素の学習活動の成果を発表し、自己の向上の意欲を一層高めるため、児童に計画や運営を任せるとともに、パネルディスカッションやステージ発表の練習を、毎日、放課後に最終下校時刻まで休憩時間を取らないで行う計画を立てた。
3． C教諭は、健康安全・体育的行事において、事件や事故、災害等から身を守る安全な行動の体得を目的に、安全教室において、登下校中の安全について、警察署と連携し、知らない人から声を掛けられた場合の対処法を、疑似体験を通して学習させる計画を立てた。
4． D教諭は、遠足・集団宿泊的行事において、宿泊行事の事前学習として、訪れる場所の自然や文化などを社会や理科の授業時間で取り扱い、事前学習から事後学習までの全ての授業時間を特別活動の授業時数として計画を立てた。
5． E教諭は、勤労生産・奉仕的行事において、勤労の尊さを体得する活動として一年間を通した全体計画を立て、そのねらいを、「自己の健康や安全についての課題や解決策について考え、他者と協力して、適切に判断し行動することができるようにする。」と設定した。

学習日 ／ ／ ／

解答解説

1　×「自他のよさを見付け合い、自己の成長を振り返り、積極的に自己を伸長しようとする態度を養う。」が誤り。儀式的行事の狙いは「**学校生活に有意義な変化や折り目を付け、厳粛で清新な気分を味わい、新しい生活の展開への動機付けとなるような活動を行う**」と示されている。

2　×「毎日、放課後に最終下校時刻まで休憩時間を取らないで行う計画を立てた」が誤り。文化祭の準備のような特別活動を行う場合には「**練習や準備に過大な時間をとり、児童に過重な負担をかけることのないように、練習、準備の在り方を工夫、改善する**」ことに留意すべきとしている。

3　○　肢文の通り、正しい。

4　×「事前学習から事後学習までの全ての授業時間を特別活動の授業時数として計画を立てた」が誤り。遠足や集団宿泊的な行事を実施する場合には「**教科等や総合的な学習の時間などの学習活動を含む計画を立て、授業時数に含めて扱うなど**」、年間指導計画を柔軟に工夫し、作成するように留意すべきとしている。

5　×「自己の健康や安全についての課題や解決策について考え、他者と協力して、適切に判断し行動することができるようにする。」が誤り。勤労生産・奉仕的行事を実施する目的は、**勤労の価値や必要性を体得できるようにするとともに、自らを豊かにし、進んで他に奉仕しようとする態度を養うため**である。

以上、小学校学習指導要領（平成29年告示）解説　特別活動編を参照。

正解 3

ワンポイントアドバイス

小学校で特別活動を行う目標は「自己の生き方」についての考えを深めることです。特別活動の目標は学校種別ごとに少しずつ異なるので、特徴的なキーワードをおさえておきましょう。

問題5 学習指導要領のポイント④

小学校学習指導要領（平成29年３月告示）総則に関する記述として誤っているものはどれか。１～５から一つ選びなさい。

1　学校教育全体や各教科等における指導を通して育成を目指す資質・能力を踏まえつつ、各学校の教育目標を明確にするとともに、教育課程の編成についての基本的な方針が家庭や地域とも共有されるよう努める。

2　児童の発達の段階を考慮し、言語能力、情報活用能力（情報モラルを含む。）、問題発見・解決能力等の学習の基盤となる資質・能力を育成していくことができるよう、各教科等の特質を生かし、教科等横断的な視点から教育課程の編成を図る。

3　各教科等の授業は、年間35週（第１学年については34週）以上にわたって行うよう計画し、週当たりの授業時数が児童の負担過重にならないようにするものとする。

4　特別活動の授業のうち、児童会活動、クラブ活動及び学校行事については、それらの内容に応じ、年間、学期ごと、月ごとなどに適切な授業時数を充てるものとする。

5　小学校の終わりまでに育ってほしい姿を踏まえた指導を工夫することにより、幼稚園教育要領等に基づく幼児期の教育を通して育まれた資質・能力を踏まえて教育活動を実施し、児童が主体的に自己を発揮しながら学びに向かうことが可能となるようにする。

学習日 ／ ／ ／

解答解説

1　○　肢文の通り、正しい。

2　○　肢文の通り、正しい。

3　○　肢文の通り、正しい。

4　○　肢文の通り、正しい。

5　×「小学校の終わりまでに」が誤り。正しくは「**幼児期の終わり**までに育ってほしい姿」である。

正解 5

ワンポイントアドバイス

小学校学習指導要領第１章総則「第２ 教育課程の編成」では、「４ 学校段階等間の接続」が新設されました。ここのポイントは、幼児期の教育を通して育まれた資質・能力を踏まえて小学校の教育活動を実施することと、児童が主体的に自己を発揮しながら学びに向かうことを可能にすることです。

問題6 学習指導要領のポイント⑤

中学校学習指導要領（平成29年３月告示）総則に関する記述として適切なものを１～５から一つ選びなさい。

1　道徳教育や体験活動、多様な表現や鑑賞の活動等を通して、豊かな心や創造性の涵養を目指すため、「道徳教育を進めるに当たっては、教師と生徒及び生徒相互の人間関係を深めるとともに、職場体験活動やボランティア活動、自然体験活動などの豊かな体験を通して生徒の内面に根ざした道徳性の育成が図られるよう配慮すること。」と示されている。

2　生徒の学習の基盤となる資質・能力を育むため、「各学校においては、生徒の発達の段階を考慮し、言語能力、情報活用能力（情報モラルを含む。）、問題発見・解決能力等の学習の基盤となる資質・能力を育成していくことができるよう、各教科等の特質を生かし、教科等横断的な視点から教育課程の編成を図るものとする。」と示されている。

3　各学校において言語能力の育成を図るため、「各教科等の指導に当たっては、生徒の思考力、判断力、表現力等を育む観点から、基礎的・基本的な知識及び技能の活用を図る学習活動を重視するとともに、言語に対する関心や理解を深め、言語に関する能力の育成を図る上で必要な言語環境を整え、生徒の言語活動を充実すること。」と示されている。

4　生徒一人一人の社会的・職業的自立に向けて必要な基盤となる資質・能力を育むため、「生徒が、学ぶことと自己の将来とのつながりを見通しながら、社会的・職業的自立に向けて必要な基盤となる資質・能力を身に付けていくことができるよう、総合的な学習の時間を要としつつ各教科等の特質に応じて、キャリア教育の充実を図ること。」と示されている。

5　単元や題材など内容や時間のまとまりを見通しながら、生徒の主体的・対話的で深い学びの実現に向けた授業改善を行うため、「学習や生活の基盤として、教師と生徒との信頼関係及び生徒相互のよりよい人間関係を育てるため、日頃から学級経営の充実を図ること。」と示されている。

学習日 ／ ／ ／

解答解説

1　×　この文章は平成20・21年改訂の学習指導要領の総則の内容であるため誤り。新指導要領では「学校や学級内の人間関係や環境を整えるとともに、職場体験活動やボランティア活動、自然体験活動、地域の行事への参加などの豊かな体験を充実すること。また、**道徳教育の指導内容が、生徒の日常生活に生かされるようにすること**」とされている。

2　○　肢文の通り、正しい。

3　×　この文章は平成20年告示中学校学習指導要領第１章第４の２の(1)の内容であるため誤り。新指導要領では「言語能力の育成を図るため、各学校において必要な言語環境を整えるとともに、**国語科を要としつつ各教科等の特質に応じて、生徒の言語活動を充実すること**」とされている。

4　×「総合的な学習の時間を要としつつ」が誤り。キャリア教育の要となるのは、総合的な学習の時間ではなく**特別活動**である。

5　×「学習や生活の基盤として、教師と生徒との信頼関係及び生徒相互のよりよい人間関係を育てるため、日頃から学級経営の充実を図ること。」は、**主体的で対話的な深い学びに向けた授業改善の内容ではない**ので誤り。かぎかっこ内の文は第４節「生徒の発達の支援」である。

正解 2

ワンポイントアドバイス

中学校の学習指導要領は、主体的・対話的で深い学びの実現に向けた授業改善がキーワードです。授業改善と同時に学習評価の改善と充実も求められているので、併せて理解しておきましょう。

問題7 学習指導要領のポイント⑥

中学校学習指導要領特別活動の「指導計画の作成と内容の取扱い」に関する次の記述ア～エのうち、正しいものを選んだ組合せとして適切なものを１～５から一つ選びなさい。

ア 「学級活動及び生徒会活動の指導については、指導内容の特質に応じて、教師の適切な指導の下に、生徒の自発的、自治的な活動が効果的に展開されるようにすること。その際、よりよい生活を築くために自分たちできまりをつくって守る活動などを充実するよう工夫すること。」と示されている。

イ 「生徒及び学校の実態並びに保健体育科、技術・家庭科及び総合的な学習の時間の配慮事項などを踏まえ、各学年において取り上げる指導内容の重点化を図るとともに、必要に応じて、内容間の関連や統合を図ったり、他の内容を加えたりすることができること。」と示されている。

ウ 「学級活動における生徒の自発的、自治的な活動を中心として、各活動と学校行事を相互に関連付けながら、個々の生徒についての理解を深め、教師と生徒、生徒相互の信頼関係を育み、学級経営の充実を図ること。その際、特別活動の一環として行われる部活動の指導との関連を図るようにすること。」と示されている。

エ 「異年齢集団による交流を重視するとともに、幼児、高齢者、障害のある人々などとの交流や対話、障害のある幼児児童生徒との交流及び共同学習の機会を通して、協働することや、他者の役に立ったり社会に貢献したりすることの喜びを得られる活動を充実すること。」と示されている。

1　ア・イ
2　ア・ウ
3　ア・エ
4　イ・ウ
5　イ・エ

学習日 ／ ／ ／

解答解説

ア　○　肢文の通り、正しい。中学校学習指導要領（平成29年告示）解説　特別活動編による。

イ　×「保健体育科、技術・家庭科及び総合的な学習の時間」が誤り。特別活動の全体計画や学校行事の年間指導計画を作成するときには「**各教科、道徳科、総合的な学習の時間など**」との連携を図るとしていて、保健体育科、技術・家庭科という縛りはない。

ウ　×「部活動の指導との関連を図る」が誤り。学級経営を充実させるためには、**生徒指導との連携を図る**ことが求められている。

エ　○　肢文の通り、正しい。中学校学習指導要領（平成29年告示）解説　特別活動編による。

正解　3

ワンポイントアドバイス

中学校学習指導要領の「総則編 第３章第３節教育課程の実施と学習評価　2　学習評価の充実」は、多くの自治体で出題されています。評価は、従来のような点数によるものだけでなく、学習したことの意義や価値を生徒がいかに実感できているかに重点が置かれていることに注意しましょう。

問題8 学習指導要領のポイント⑦

高等学校学習指導要領総合的な探究の時間で育成することを目指す資質・能力に関する次の記述ア～エのうち、正しいものを選んだ組合せとして適切なものを1～5から一つ選びなさい。

ア 「自ら課題を見付け、自ら学び、自ら考え、主体的に判断し、よりよく問題を解決する資質や能力を育成する。」と示されている。

イ 「探究の過程において、課題の発見と解決に必要な知識及び技能を身に付け、課題に関わる概念を形成し、探究の意義や価値を理解するようにする。」と示されている。

ウ 「実社会や実生活と自己との関わりから問いを見いだし、自分で課題を立て、情報を集め、整理・分析して、まとめ・表現することができるようにする。」と示されている。

エ 「問題の解決や探究活動に主体的、創造的、協同的に取り組む態度を育て、自己の在り方生き方を考えることができるようにする。」と示されている。

1　ア・ウ
2　ア・エ
3　イ・ウ
4　イ・エ
5　ウ・エ

学習日 ／ ／ ／

解答解説

ア　×　肢文は「**総合的な学習の時間**」に関わる内容のため誤り。総合的な探究の時間の目標は「探究の見方・考え方を働かせ、横断的・総合的な学習を行うことを通して、自己の在り方生き方を考えながら、よりよく課題を発見し解決していくための資質・能力を次のとおり育成することを目指す」である。

イ　○　肢文の通り、正しい。

ウ　○　肢文の通り、正しい。

エ　×　肢文は「**総合的な学習の時間**」に関わる内容のため誤り。総合的な探究の時間で育成する資質や能力は、上記イ・ウに加えて「探究に主体的・協働的に取り組むとともに、互いのよさを生かしながら、新たな価値を創造し、よりよい社会を実現しようとする態度を養う。」を目指している。

正解 3

ワンポイントアドバイス

小中学校では「総合的な学習の時間」、高等学校では「総合的な探究の時間」ですが、それぞれの目標に混同しやすい文言があります。小中学校の目標では「探究的な学習の過程」、高等学校の目標では「探究の過程」と表現されているので内容を確認しておきましょう。

問題9 道徳教育①

次の記述ア～エは、それぞれ下の小学校学習指導要領特別の教科 道徳の「内容」の〔第５学年及び第６学年〕に示されている四つの視点Ａ～Ｄのいずれかに関するものである。ア～エと、Ａ～Ｄとの組合せとして適切なものを１～５から一つ選びなさい。

ア　自分の考えや意見を相手に伝えるとともに、謙虚な心をもち、広い心で自分と異なる意見や立場を尊重すること。
イ　よりよく生きようとする人間の強さや気高さを理解し、人間として生きる喜びを感じること。
ウ　より高い目標を立て、希望と勇気をもち、困難があってもくじけずに努力して物事をやり抜くこと。
エ　我が国や郷土の伝統と文化を大切にし、先人の努力を知り、国や郷土を愛する心をもつこと。

Ａ　主として自分自身に関すること
Ｂ　主として人との関わりに関すること
Ｃ　主として集団や社会との関わりに関すること
Ｄ　主として生命や自然、崇高なものとの関わりに関すること

１　アーＢ　イーＡ　ウーＣ　エーＤ
２　アーＢ　イーＡ　ウーＤ　エーＣ
３　アーＢ　イーＤ　ウーＡ　エーＣ
４　アーＣ　イーＢ　ウーＡ　エーＤ
５　アーＣ　イーＤ　ウーＢ　エーＡ

学習日　／　／　／

解答解説

アは、**人との関わりにおいて自分自身を捉えて**、望ましい人間関係を築くことに主眼を置いている。つまりこの記述はBの「主として人との関わりに関すること」の視点について述べている。ア＝B

イは、**自分が自然や生命など崇高なものとどのように関わっているかを考えながら、人間としてあるべき自覚を深める**ことに主眼を置いている。つまりこの記述はDの「主として生命や自然、崇高なものとの関わりに関すること」の視点について述べている。イ＝D

ウは、**自分自身を見つめ、自己を理解して望ましい自己形成を図る**ことに主眼を置いている。つまりこの記述はAの「主として自分自身に関すること」の視点について述べている。ウ＝A

エは、**自分がさまざまな集団や地域、国家や国際社会の中に存在していることに主眼を置いている**。国際社会と向き合うことが求められる今日、日本人としての自覚を持ちながら、平和で民主的な国家及び社会の一員として必要な道徳性を養うことに主眼を置いている。つまりこの記述はCの「主として集団や社会に関すること」の視点について述べている。エ＝C

正解 3

ワンポイントアドバイス

平成27年３月の学習指導要領一部改正によって教科の一つになった「特別の教科 道徳」。内容は上記の４つの視点があり、小学校では61項目で構成されています。それぞれの項目には、「善悪の判断、自律、自由と責任」や「正直、誠実」などのキーワードが示されているので確認しておきましょう。

問題10 道徳教育②

次の記述ア～ウは、それぞれ下の中学校学習指導要領特別の教科 道徳の「内容」に示されている四つの視点Ａ～Ｄのいずれかに関するものである。ア～ウと、Ａ～Ｄとの組合せとして適切なものを１～５から一つ選びなさい。

ア　礼儀の意義を理解し、時と場に応じた適切な言動をとること。
イ　真実を大切にし、真理を探究して新しいものを生み出そうと努めること。
ウ　父母、祖父母を敬愛し、家族の一員としての自覚をもって充実した家庭生活を築くこと。

Ａ　主として自分自身に関すること
Ｂ　主として人との関わりに関すること
Ｃ　主として集団や社会との関わりに関すること
Ｄ　主として生命や自然、崇高なものとの関わりに関すること

１　ア－Ａ　イ－Ｄ　ウ－Ｂ
２　ア－Ａ　イ－Ｄ　ウ－Ｃ
３　ア－Ｂ　イ－Ａ　ウ－Ｃ
４　ア－Ｂ　イ－Ｃ　ウ－Ｄ
５　ア－Ｃ　イ－Ａ　ウ－Ｂ

学習日　／　／　／

解答解説

アは、**どのような言動をすれば良好な人間関係を築くことができるか**に主眼を置いている。つまりこの記述はBの「主として人との関わりに関すること」の視点について述べている。ア＝B

イは、**自己理解を深めてより良い人生を生きること**に主眼を置いている。つまりこの記述はAの「主として自分自身に関すること」の視点について述べている。イ＝A

ウは、**家庭を一つの集団と捉えて、その一員としてより良く生きる**ことに主眼を置いている。つまりこの記述はCの「主として集団や社会との関わりに関すること」の視点について述べている。ウ＝C

正解 3

ワンポイントアドバイス

中学校学習指導要領の「特別の教科 道徳」では、Dの「主として生命や自然、崇高なものとの関わりに関すること」の視点には次の４つの内容が示されています。①「生命の尊さ」②「自然愛護」③「感動、畏敬の念」④「よりよく生きる喜び」。これらは肢Dの視点を理解するキーワードとして押さえておきましょう。

問題11 道徳教育③

次の各文は、平成29年３月に文部科学省から示された中学校学習指導要領「総則」の中学校教育の基本と教育課程の役割に関する記述の一部である。空欄Ａ～Ｃに、あとのア～カのいずれかの語句を入れてこれらの文を完成させる場合、正しい組合せはどれか。１～５から一つ選びなさい。

・　道徳教育は、教育基本法及び学校教育法に定められた教育の根本精神に基づき、人間としての生き方を考え、主体的な判断の下に行動し、自立した人間として［　Ａ　］ための基盤となる道徳性を養うことを目標とすること。

・　道徳教育を進めるに当たっては、［　Ｂ　］と生命に対する畏敬の念を家庭、学校、その他社会における具体的な生活の中に生かし、豊かな心をもち、伝統と文化を尊重し、それらを育んできた我が国と郷土を愛し、［　Ｃ　］を図るとともに、平和で民主的な国家及び社会の形成者として、公共の精神を尊び、社会及び国家の発展に努め、他国を尊重し、国際社会の平和と発展や環境の保全に貢献し未来を拓（ひら）く主体性のある日本人の育成に資することとなるよう特に留意すること。

ア　他者と共によりよく生きる	イ　国際社会で主体的に生きる
ウ　社会奉仕の精神	エ　人間尊重の精神
オ　持続可能な社会の創造	カ　個性豊かな文化の創造

	Ａ	Ｂ	Ｃ
１	ア	エ	カ
２	ア	ウ	オ
３	イ	ウ	カ
４	イ	エ	カ
５	ア	ウ	オ

学習日 ／ ／ ／

解答解説

A　道徳教育とは、自立した一人の人間として人生を「ア：**他者と共によりよく生きる人格を形成することを目指すもの**」である。

B　道徳教育を行う前提として、「エ：**人間尊重の精神**と生命に対する畏敬の念」が求められる。

C　道徳教育の推進を図るにあたって、伝統文化を尊重しながらの「カ：**個性豊かな文化の創造**」が求められている。平成29年に示された中学校の学習指導要領では、「我が国の伝統と文化の尊重、国を愛する態度」について、日本人としての帰属意識を再考するとともに、新しい文化の創造と社会の発展に貢献し得る能力を一層重視している。

正解 1

ワンポイントアドバイス

中学校に設置された「特別の教科　道徳」は、道徳教育の要と位置付けられています。その指導として「問題解決的な学習」や「体験的な学習」が求められているのは他の主要教科と共通しています。また、改訂までの経緯として、「グローバル化が進展する中で、様々な文化や価値観を背景とする人々と相互に尊重し合いながら生きることや、科学技術の発展や社会・経済の変化の中で、人間の幸福と社会の発展の調和的な実現を図ることが一層重要な課題となる」とある通り、教科を横断した学びが求められていることにも注目しておきましょう。

問題12 総合的な学習(探究)の時間

高等学校学習指導要領総合的な探究の時間の「指導計画の作成と内容の取扱い」に関する記述として適切でないものを１～５から一つ選びなさい。

1. 年間や、単元など内容や時間のまとまりを見通して、その中で育む資質・能力の育成に向けて、生徒の主体的・対話的で深い学びの実現を図るようにすること。
2. 目標を実現するにふさわしい探究課題を設定するに当たっては、生徒の多様な課題に対する意識を生かすことができるよう配慮すること。
3. 育てようとする資質や能力及び態度については、例えば、学習方法に関すること、自分自身に関すること、他者や社会とのかかわりに関することなどの視点を踏まえること。
4. 障害のある生徒などについては、学習活動を行う場合に生じる困難さに応じた指導内容や指導方法の工夫を計画的、組織的に行うこと。
5. 職業や自己の進路に関する学習を行う際には、探究に取り組むことを通して、自己を理解し、将来の在り方生き方を考えるなどの学習活動が行われるようにすること。

学習日 ／ ／ ／

解答解説

1　○　肢文の通り、正しい。

2　○　肢文の通り、正しい。

3　×　平成20・21年改訂の小学校・中学校学習指導要領 総合的な学習の時間の内容をもとにした記述であって高等学校学習指導要領総合的な探究の時間の内容とは異なるので誤り。

4　○　肢文の通り、正しい。

5　○　肢文の通り、正しい。

補足

平成30年の高等学校学習指導要領改訂において、それまでの「総合的な学習の時間」が「**総合的な探究の時間**」に変更された。高等学校における「総合的な探究の時間」は、「主体的・対話的で深い学び」の実現に重点が置かれて授業改善が図られている。ただし学習指導要領において「総合的な探究の時間」という名称は、「各学校において適切に定めること。」とされていることに注意したい。
ちなみに**小・中学校**においては「**総合的な学習の時間**」の名称で、生きる力を育む教育を目指している。

正解 3

ワンポイントアドバイス

「総合的な学習（探究）の時間」については、それまでの「総合的な学習の時間」との違いをはじめ、学習内容や学習指導の改善・充実、指導計画の作成など、幅広い出題があります。まずは学習指導要領改訂時のキーワードを確認しながら理解を深めておきましょう。

問題13 外国語科

小学校学習指導要領外国語活動の「各言語の目標及び内容等」の「英語」の「目標」に関する記述として適切なものを１～５から一つ選びなさい。

1．「聞くこと」では、「ゆっくりはっきりと話されれば、日常生活に関する身近で簡単な事柄について、具体的な情報を聞き取ることができるようにする。」を目標の一つとしている。
2．「読むこと」では、「音声で十分に慣れ親しんだ簡単な語句や基本的な表現の意味が分かるようにする。」を目標の一つとしている。
3．「話すこと［やり取り］」では、「サポートを受けて、自分や相手のこと及び身の回りの物に関する事柄について、簡単な語句や基本的な表現を用いて質問をしたり質問に答えたりするようにする。」を目標の一つとしている。
4．「話すこと［発表］」では、「身近で簡単な事柄について、伝えようとする内容を整理した上で、自分の考えや気持ちなどを、簡単な語句や基本的な表現を用いて話すことができるようにする。」を目標の一つとしている。
5．「書くこと」では、「大文字、小文字を活字体で書くことができるようにする。また、語順を意識しながら音声で十分に慣れ親しんだ簡単な語句や基本的な表現を書き写すことができるようにする。」を目標の一つとしている。

学習日 ／ ／ ／

解答解説

1　×「具体的な情報を聞き取ることができるようにする」が誤り。「聞くこと」は、「ゆっくりはっきりと話された際に、身近で簡単な事柄に関する**基本的な表現の意味が分かるようにする。**」を目標にしている。

2　×「読むこと」が誤り。小学校の外国語活動は「聞くこと」「話すこと（やり取り）」「話すこと（発表）」の３領域で構成されており、**「読むこと」に関する目標は存在しない。**

3　○　肢文の通り、正しい。小学校の外国語活動の**「話すこと（やり取り）」に関する目標**である。

4　×「伝えようとする内容を整理した上で」が誤り。**「話すこと（発表）」**は、「日常生活に関する身近で簡単な事柄について、人前で実物などを見せながら、**自分の考えや気持ちなどを、簡単な語句や基本的な表現を用いて話すようにする。**」を目標にしている。

5　×　小学校の外国語活動の目標に**「書くこと」は設定されていない。**

正解 3

ワンポイントアドバイス

平成29年の改訂により、小学校高学年が履修すべき教科として「外国語」が加わりました。「外国語」は中学校以降の外国語につながるコミュニケーション力の基礎を養うために、「聞くこと」「読むこと」「話すこと（やり取り）」「話すこと（発表）」「書くこと」の５つの領域で目標が設定されています。

問題14 特別活動①

小学校学習指導要領特別活動に関する記述として適切なものを1～5から一つ選びなさい。

1．特別活動の「目標」は、「探究的な見方・考え方を働かせ、横断的・総合的な学習を行うことを通して、実社会や実生活の中から問いを見いだし、自分で課題を立て、情報を集め、整理・分析して、まとめ・表現することができるようにする。」と示されている。
2．〔学級活動〕の「内容の取扱い」において、「一人一人のキャリア形成と自己実現」の指導に当たっては、「学校、家庭及び地域における学習や生活の見通しを立て、学んだことを振り返りながら、新たな学習や生活への意欲につなげたり、将来の生き方を考えたりする活動を行うこと。その際、児童が活動を記録し蓄積する教材等を活用すること。」と示されている。
3．〔学級活動〕の「内容の取扱い」において、〔第5学年及び第6学年〕で指導に当たって配慮することとされている事項は、「理由を明確にして考えを伝えたり、自分と異なる意見も受け入れたりしながら、集団としての目標や活動内容について合意形成を図り、実践すること。自分のよさや役割を自覚し、よく考えて行動するなど節度ある生活を送ること。」と示されている。
4．〔児童会活動〕の「内容」は、「『児童会の組織づくりと児童会活動の計画や運営』、『異年齢集団による交流』、『学級や学校における生活づくりへの参画』の各活動を通して、それぞれの活動の意義及び活動を行う上で必要となることについて理解し、主体的に考えて実践できるよう指導する。」と示されている。
5．〔クラブ活動〕の「内容」は、「主として第3学年以上の同好の児童をもって組織するクラブにおいて、『クラブの組織づくりとクラブ活動の計画や運営』、『クラブを楽しむ活動』、『クラブの成果の発表』の各活動を通して、それぞれの活動の意義及び活動を行う上で必要となることについて理解し、主体的に考えて実践できるよう指導する。」と示されている。

学習日 ／ ／ ／

解答解説

1　×　肢文は「総合的な学習の時間」の目標であるため誤り。特別活動の目標は「**集団や社会の形成者としての見方・考え方を働かせ、様々な集団活動に自主的、実践的に取り組み**、互いのよさや可能性を発揮しながら**集団や自己の生活上の課題を解決する**ことを通して、次の通り資質・能力を育成することを目指す」である。

2　○　肢文の通り、正しい。

3　×　肢文は第３学年及び第４学年の「内容の取り扱い」について述べたものであるため誤り。第５学年及び第６学年の正しい「内容の取り扱い」は「相手の思いを受け止めて聞いたり、相手の立場や考え方を理解したりして、**多様な意見のよさを積極的に生かして合意形成**を図り、実践すること。**高い目標をもって粘り強く努力し、自他のよさを伸ばし合うようにすること**。」である。

4　×　「学級や学校における生活づくりへの参画」が誤り。児童会活動の目標の一つは、異年齢の児童同士が協力し合うことができる「**学校行事への協力**」を通して、一人ひとりが主体的に考えて実践できるよう指導すると示されている。

5　×　クラブ活動は「３学年以上」ではなく、「**４学年以上**の同好の児童をもって組織する」とされている。

正解 2

ワンポイントアドバイス

学習指導要領において、特別活動は目標、活動の内容、内容の取り扱いまでが示されているので、ワンセットで理解しておきましょう。また、特別活動に係るキーワードは各学校で微妙に異なるので整理しておきましょう。

問題15 特別活動②

次の記述ア～ウは、それぞれ下の中学校学習指導要領（平成29年３月告示）特別活動の〔学校行事〕に示されている行事Ａ～Ｅのいずれかに関するものである。ア～ウと、Ａ～Ｅとの組合せとして適切なものを１～５から一つ選びなさい。

ア　平素と異なる生活環境にあって見聞を広め、自然や文化などに親しむとともに、公衆道徳などについての体験を可能にする。それにより、新たな視点から学校生活や学習活動の意義を考える態度を養うことが考えられる。
イ　平素の学習活動の成果を発表したり、自己の向上の意欲を一層高めたりするようにする。それにより、美しいものや優れたものに触れるなどして、自他の個性を認め、互いに高め合うことができるようにすることが考えられる。
ウ　学校生活に有意義な変化や折り目を付け、厳粛で清新な気分を味わい、新しい生活の展開への動機付けとなるようにする。それにより、その場にふさわしい参加の仕方について理解し、規律や気品のある行動の仕方などを身に付けるようにすることが考えられる。

Ａ　儀式的行事
Ｂ　文化的行事
Ｃ　健康安全・体育的行事
Ｄ　旅行・集団宿泊的行事
Ｅ　勤労生産・奉仕的行事

	ア	イ	ウ
1	B	E	A
2	B	E	C
3	D	B	A
4	D	B	C
5	D	E	A

学習日 ／ ／ ／

解答解説

A　**儀式的行事**とは、「学校生活に有意義な変化や折り目を付け、厳粛で清新な気分を味わい、新しい生活の展開への動機付けとなるようにすること」であり、入学式、始業式と終業式、卒業式や開校記念日などがある。よって「**学校生活に有意義な変化や折り目を付け**」とあるウがこれに当たる。

B　**文化的行事**とは、「平素の学習活動の成果を発表し、自己の向上の意欲を一層高めたり、文化や芸術に親しんだりするようにすること」であり、文化祭や学習発表会、合唱祭、芸術鑑賞会などがある。よって「**平素の学習活動の成果を発表したり、自己の向上の意欲を一層高めたりするようにする**」とあるイがこれに当たる。

C　健康安全・体育的行事とは「心身の健全な発達や健康の保持増進、事件や事故、災害等から身を守る安全な行動や規律ある集団行動の体得、運動に親しむ態度の育成、責任感や連帯感の涵養、体力の向上などに資するようにすること」であり、防災訓練や体育祭、球技大会などがある。

D　旅行・集団宿泊的行事とは「平素と異なる生活環境にあって見聞を広め、自然や文化などに親しむとともに、よりよい人間関係を築くなど」であり、移動教室や修学旅行などがある。よって「**平素と異なる生活環境にあって見聞を広め、自然や文化などに親しむ**」とあるアがこれに当たる。

E　勤労生産・奉仕的行事とは「勤労の尊さや生産の喜びを体得し、職場体験活動などの勤労観・職業観に関わる啓発的な体験が得られるようにする」であり、職業体験やボランティア活動、地域清掃などがある。

正解 3

ワンポイントアドバイス

学習指導要領の特別活動には、「学びに向かう力、人間性等」の中の「社会参画」「自己実現」に重点が置かれています。

問題16 特別活動③

次の記述ア〜ウは、それぞれ下の高等学校学習指導要領特別活動の「各活動・学校行事の目標及び内容」の〔学校行事〕の「内容」に示されている行事A〜Eのいずれかに関するものである。ア〜ウと、A〜Eとの組合せとして適切なものを1〜5から一つ選びなさい。

ア　平素と異なる生活環境にあって、見聞を広め、自然や文化などに親しむとともに、よりよい人間関係を築くなどの集団生活の在り方や公衆道徳などについての体験を積むことができるようにすること。
イ　学校生活に有意義な変化や折り目を付け、厳粛で清新な気分を味わい、新しい生活の展開への動機付けとなるようにすること。
ウ　平素の学習活動の成果を発表し、自己の向上の意欲を一層高めたり、文化や芸術に親しんだりするようにすること。

A　儀式的行事
B　文化的行事
C　健康安全・体育的行事
D　旅行・集団宿泊的行事
E　勤労生産・奉仕的行事

1　ア－A　イ－E　ウ－C
2　ア－C　イ－A　ウ－D
3　ア－C　イ－E　ウ－B
4　ア－D　イ－A　ウ－B
5　ア－D　イ－B　ウ－E

学習日 ／ ／ ／

解答解説

Aの「**儀式的行事**」とは、**入学式や卒業式**などの「学校生活に有意義な変化や折り目をつけ、厳粛で清新な気分を味わい、新しい生活の展開への動機づけとなるようにする」行事を指す。A＝イ

Bの「**文化的行事**」とは、**文化祭や学習発表会、音楽祭や合唱コンクール**など、普段の学習活動の成果を発表する行事のことである。B＝ウ

Cの「**健康安全・体育的行事**」とは、**体育祭や運動会、水泳大会**など「心身の健全な発達や健康の保持増進」、あるいは集団の連帯感や責任感などを養うことを目的にする行事である。

Dの「**旅行・集団宿泊的行事**」とは、**修学旅行や移動教室**など、普段とは違う環境の中で仲間と共に過ごしながら得難い経験を得て見聞を広め、学びを深めることを目的としている。D＝ア

正解 4

ワンポイントアドバイス

高等学校の特別活動には、ホームルーム活動、生徒会活動、学校行事があり、これは学校行事に関する出題です。それぞれの特別活動について、内容と目標を押さえておきましょう。

問題17 特別活動④

次の記述ア～ウは、それぞれ下の高等学校学習指導要領特別活動の「各活動・学校行事の目標及び内容」の〔ホームルーム活動〕に示されている「内容」のA又はBに関するものである。ア～ウと、下のA・Bとの組合せとして適切なものを1～5から一つ選びなさい。

ア　男女相互について理解するとともに、共に協力し尊重し合い、充実した生活づくりに参画すること。

イ　社会の一員としての自覚や責任をもち、社会生活を営む上で必要なマナーやルール、働くことや社会に貢献することについて考えて行動すること。

ウ　自他の個性を理解して尊重し、互いのよさや可能性を発揮し、コミュニケーションを図りながらよりよい集団生活をつくること。

A　日常の生活や学習への適応と自己の成長及び健康安全
B　一人一人のキャリア形成と自己実現

1　ア－A　イ－A　ウ－B
2　ア－A　イ－B　ウ－A
3　ア－A　イ－B　ウ－B
4　ア－B　イ－A　ウ－B
5　ア－B　イ－B　ウ－A

学習日　／　／　／

解答解説

ア　Aの「**日常の生活や学習への適応と自己の成長及び健康安全**」に合致する。この項目には、「**男女相互の理解と協力**」として「男女相互について理解するとともに、共に協力し尊重し合い、充実した生活づくりに参画すること。」が目標となっている。

イ　Bの「**一人一人のキャリア形成と自己実現**」に合致する。この項目には「**社会参画意識の醸成や勤労観・職業観の形成**」として「社会の一員としての自覚や責任をもち、社会生活を営む上で必要なマナーやルール、働くことや社会に貢献することについて考えて行動すること」が目標となっている。

ウ　Aの「**日常の生活や学習への適応と自己の成長及び健康安全**」に合致する。この項目には「**自他の個性の理解と尊重、よりよい人間関係の形成**」として、「自他の個性を理解して尊重し、互いのよさや可能性を発揮し、コミュニケーションを図りながらよりよい集団生活をつくること。」が目標になっている。

正解 2

ワンポイントアドバイス

特別活動に関しては、各活動の目標が中心に出題されています。各学校ごとのキーワードと、その内容をおさえておきましょう。

問題1 日本国憲法①

日本国憲法に関する記述として、憲法及び判例に照らして最も適切なものを1～5から一つ選びなさい。

1　子供の教育は、専ら子供の利益のために行われるべきものであり、何が子供の利益であり、また、そのために何が必要であるかについては、学校において現実に子供の教育の任に当たる教師が、公権力による支配、介入を受けないで自由に教育内容を決定することができる。
2　普通教育の場においては、児童・生徒の側の授業の内容を批判する能力や、学校、教師を選択する余地などに鑑みて、教育内容が中立・公正で、地域、学校のいかんにかかわらず全国的に一定の水準であることは、高等学校には要請されない。
3　国は積極的に教育に関する諸施設を設けて国民の利用に供する責務を負うとともに、国民各自は、一個の人間として、また、一市民として、成長、発達し、自己の人格を完成、実現するために必要な学習をする固有の権利を有する。
4　教科用図書は、普通教育の場において使用される児童・生徒用の図書であるとともに、学術研究の結果の発表を目的とするものであり、そこに記述された研究結果を執筆者が正当と判断したものであれば、国が当該教科用図書の発行に制限をかけることはできない。
5　学問の自由は、学問的研究の自由とその研究成果の発表の自由を言うものであって、大学が学術の中心として深く真理を探究することを本質とすることに鑑みて、この自由の保障は大学の教授や研究者を対象としたもので、全ての国民の学問の自由を保障する趣旨ではない。

学習日 ／ ／ ／

解答解説

1　×　旭川学力テスト事件に関する問題。「自由に教育内容を決定することができる」が誤り。普通教育の教師に「教授の自由」は認められるのかが争点となったが、最高裁は「**教師に完全な教授の自由を認めることはできない**」とした。「国は、子ども自身の利益の擁護のため、又は子どもの成長に対する社会公共の利益と関心にこたえるため、必要かつ相当と認められる範囲において、子どもの教育内容を決定する権能を有する。」(最大判昭51.5.21)。

2　×　「高等学校には要請されない」が誤り。**全国的に一定の教育水準を保つことは、高等学校にも求められている**。小中高すべての学習指導要領前文には、「学習指導要領が果たす役割の一つは、公の性質を有する学校における教育水準を全国的に確保すること」と明記されている。

3　○　肢文の通り、正しい。旭川学力テスト事件に関する問題。

4　×　家永教科書裁判に関する問題。「国が当該教科用図書の発行に制限をかけることはできない」が誤り。**文部大臣（現・文部科学大臣）は検定教科書の合否判定を行う裁量権を持つ**ので、教科書の発行に制限をかけることはできる。家永教科書裁判の第三次訴訟では、検定意見のうち4箇所については裁量権の逸脱の違法があるとされた(最判平9.8.29)。

5　×　「自由の保障は大学の教授や研究者を対象としたもの」が誤り。**憲法23条**に規定されている「学問の自由」は、**広くすべての国民に対してその自由を保障する**(最大判昭38.5.22)。

正解 3

ワンポイントアドバイス

法律の中に出てくる文言には「義務教育」と「普通教育」など、紛らわしいものがあるので区別しておきましょう。義務教育ではない高等学校でも「普通教育」は実施されています。

問題2 日本国憲法②

日本国憲法に関する記述として、憲法及び判例等に照らして最も適切なものを1～5から一つ選びなさい。

1．憲法が保障する基本的人権は、日本国民を対象としており、我が国に在留する外国人に対しては保障されないと解されているため、教育を受ける権利も、我が国に在留する外国人に対しては認められない。
2．憲法が国及びその機関に対して禁止している宗教的活動とは、当該行為の目的が宗教的意義をもち、その効果が宗教に対する援助、助長、促進又は圧迫、干渉等になるような行為と解されているため、学校の歴史学習の一環であっても、寺社を訪問することは認められない。
3．表現の自由は、児童・生徒にも当然保障されるものであって、教育の目的に鑑み最大限に尊重されるべきであり、公共の福祉によって制約を受けるものではないため、学校が児童・生徒の校内での表現行為を制約することは認められない。
4．国民は、その能力に応じて、等しく教育を受ける権利を有するのであって、身体に障害を有する生徒の高等学校への受け入れに関して、身体に障害を有するという理由だけで不合格の判断をすることは認められない。
5．義務教育の無償とは、国が義務教育を提供する際、保護者に対し子女の普通教育の対価を徴収しないこと及び全ての学用品を無償で給付することを意味するものであって、学校が保護者から学用品費を徴収することは認められない。

学習日 ／ ／ ／

解答解説

1　×　基本的人権の保障は、権利の性質上日本国民を対象としていると解されるものを除き、わが国に在留する外国人に対しても等しく及ぶものと解すべきとされている（最大判昭53.10.4）。**日本に在留する外国人に対しても教育を受ける権利は認められる**。

2　×「学校の歴史学習の一環であっても、寺社を訪問することは認められない」が誤り。日本国憲法第20条には、「国及びその機関は、宗教教育その他いかなる宗教的活動もしてはならない」と規定されているが、教育基本法第15条には、「宗教に関する寛容の態度、宗教に関する一般的な教養及び宗教の社会生活における地位は、教育上尊重されなければならない」とあり、**歴史学習の一環としての寺社訪問は認められる**。

3　×「表現の自由は、～公共の福祉によって制約を受けるものではない」が誤り。**表現の自由は「公共の福祉」によって一定の制約を受ける**ものである（日本国憲法第12条）。

4　○　肢文の通り、正しい。日本国憲法第26条及び教育基本法第４条による。

5　×「全ての学用品を無償で給付することを意味する」が誤り。日本国憲法第26条には「義務教育は、これを無償とする」と規定され、教育基本法第５条第４項には「国又は地方公共団体の設置する学校における義務教育については、授業料を徴収しない」とあり、**全ての学用品を無償で給付するとは規定していない**（最大判昭39.2.26）。

正解 4

ワンポイントアドバイス

憲法に「児童」の年齢の規定はありませんが、児童福祉法では18歳未満を「児童」と定めており、学校教育法における「児童」は小学生です。法律によって意味の違う言葉があることに注意して各法律を読み解きましょう。

問題3 日本国憲法③

日本国憲法に関する記述として、最高裁判所の判例に照らして最も適切なものを1～5から一つ選びなさい。

1. 「国及びその機関は、宗教教育その他いかなる宗教的活動もしてはならない。」との規定について、信仰上の真しな理由から剣道実技に参加することができない学生に対し、レポートの提出等を求め成果を評価するなどの代替措置をとることは、その目的において宗教的意義を有し、特定の宗教を援助、助長、促進する効果を有するものであることから違憲であるとした。
2. 「学問の自由は、これを保障する。」との規定について、教科書は、普通教育の場において使用される児童、生徒用の図書であるとともに、学術研究の結果の発表を目的とするものであることから、検定は、申請図書に記述された研究結果が、執筆者が正当と信ずるものであるならば、教科書の形態における研究結果の発表を制限することはできないとした。
3. 「学問の自由は、これを保障する。」との規定について、学問の自由は、単に学問研究の自由ばかりでなく、その結果を教授する自由をも含むと解されることから、教師は大学教育だけでなく普通教育においても教授の自由を有し、自由に子供の教育内容を決定することができるとした。
4. 「すべて国民は、法律の定めるところにより、その能力に応じて、ひとしく教育を受ける権利を有する。」との規定について、この規定の背後には、国民各自が、一個の人間として、また、一市民として、成長、発達し、自己の人格を完成、実現するために必要な学習をする固有の権利を有するとの観念が存在していると考えられるとした。
5. 「すべて国民は、法律の定めるところにより、その保護する子女に普通教育を受けさせる義務を負ふ。義務教育は、これを無償とする。」との規定について、子女の保護者に対し子女をして最少限度の普通教育を受けさせることが目的であることから、授業料のほかに、教科書、学用品その他教育に必要な一切の費用まで無償にしなければならないと解することができるとした。

学習日 ／ ／ ／

解答解説

1　×　神戸高専剣道実技拒否事件に関する問題。「違憲であるとした」が誤り。最高裁は代替措置を講じることは、**特定の宗教に対する援助をするわけではない**とした（最判平8.3.8）。

2　×　教科書検定は学問の自由に抵触するかに関する問題。「教科書は……学術研究の結果の発表を目的とするものであることから……教科書の形態における研究結果の発表を制限することはできない」が誤り。最高裁は、**教科書は学術成果の発表を目的とするものではなく**、学界で支持されていない内容の記載を教科書検定で制限するのは**学問の自由に抵触しない**とした（最判平5.3.16）。

3　×　旭川学力テスト事件に関する問題。「教師は……普通教育においても教授の自由を有し」は誤り。最高裁は、普通教育では教師が児童生徒に及ぼす影響力や支配力が強いので、**教師に完全な教授の自由を認めることはできない**とした（最大判昭51.5.21）。

4　○　日本国憲法第26条第１項の**教育を受ける権利**である。

5　×　義務教育無償化規定に教科書が含まれるかに関する問題。「教科書、学用品その他教育に必要な一切の費用まで無償にしなければならない」が誤り。最高裁は、**義務教育無償化の意味は「授業料」不徴収**とした（最大判昭39.2.26）。

正解 4

ワンポイントアドバイス

日本国憲法は国の最高法規であり、特に基本的人権に関する条文は、学校教育と密接な関わりがあります。有名な判決と共に理解を深めておきましょう。

問題4 教育基本法①

教育基本法に関する記述として適切なものを１～５から一つ選びなさい。

1. 義務教育として行われる普通教育は、高い教養と専門的能力を培うとともに、深く真理を探究して新たな知見を創造することを目的として行われるものとするとされている。
2. 国及び地方公共団体は、障害のある者が、その障害の状態に応じ、十分な教育を受けられるよう、教育上必要な支援に努めなければならないとされている。
3. 法律に定める学校は、児童・生徒の教育について第一義的責任を有するものであって、自立心を育成し、心身の調和のとれた発達を図るよう努めるものとするとされている。
4. 法律に定める学校は、特定の宗教のための宗教教育その他宗教的活動をしてはならないとされている。
5. 法律に定める学校の教員は、自己の崇高な使命を深く自覚し、絶えず研究と修養に励み、その職責の遂行に努めなければならないとされている。

学習日 ／ ／ ／

解答解説

1　×　「高い教養と専門能力を培う」が誤り。義務教育として行われる普通教育の目的は、「**各個人の有する能力**を伸ばしつつ社会において**自立的に生きる基礎を培**」うことである（教育基本法第５条第２項）。

2　×　「努めなければならない」が誤り。国及び地方公共団体は、障害のある者が、その障害の状態に応じ、十分な教育を受けられるよう、教育上必要な支援を「**講じ**」なければならない（教育基本法第４条第２項）。

3　×　「法律に定める学校は」が誤り。「第一義的責任を有する」と定められているのは「**父母その他の保護者**」である（教育基本法第10条第１項）。

4　×　「法律に定める学校は」が誤り。特定の宗教教育やその他宗教活動をしてはならないのは「**国及び地方公共団体が設置する学校**」である（教育基本法第15条第２項）。

5　○　肢文の通り、正しい。教員について定めた教育基本法第９条第１項にある、教員の職務について定めた項目。

正解 5

ワンポイントアドバイス

義務教育の基本的な目的を押さえておきましょう。その法律に定められている主体が誰なのか（保護者なのか、学校なのかなど）にも注意しましょう。

問題5 教育基本法②

学校における政治的教養を育む教育の活動に関する記述として、法令等に照らして最も適切なものを１～５から一つ選びなさい。

1　授業中、政治的に対立する見解がある現実の課題を取り上げる場合には、児童・生徒の考え方や議論が深まるよう、個別の課題に関する現状とその前提となる見解などを提示し、教員は有権者の一人として、教員個人の見解を自分の考えとして述べることが必要である。

2　選挙運動期間中に満18歳未満の生徒が18歳以上の生徒に、自分が支持又は評価している特定の政党や候補者に投票するよう呼び掛けたり、支持するよう理解を求めたりしている場合には、公職選挙法に違反するおそれがあるので、指導する必要がある。

3　児童・生徒に現実の政治について具体的なイメージを育ませるため、選挙運動期間中に、実際に選挙運動を行っている国会議員や、地方議会議員を招いた意見交換会等を、校長を中心に学校として計画し、定期的に開催することが必要である。

4　教員が生徒から国の政策と特定の政党の公約との関係について質問を受けた場合、その政策や公約に関連付けて当該政党の思想的背景を論評することは、教育上の地位を利用した選挙運動や政治教育とはみなされず、法令上規制されるものではない。

5　教育的ねらいがある場合には、授業において、満18歳以上の生徒にどの候補者や政党へ投票したいかを尋ねたり、生徒の支持する候補者や生徒の支持政党を明確にして、議論したりする課題設定を行うことができる。

学習日　／　／　／

解答解説

1　×「教員個人の見解を自分の考えとして述べることが必要である」が誤り。授業中に各政党の政策等を取り上げる場合には、**教員の個人的な主義主張を避けて中立かつ公正な立場で指導**するよう留意しなければならない。

2　○　肢文の通り、正しい。

3　×「国会議員や、地方議会議員を招いた意見交換会等を、校長を中心に学校として計画し、定期的に開催する」が誤り。学校教育では社会の諸問題の解決に主体的に関わるための政治的教養を養うことは必要だが、一部の国会議員や地方議員を招いて意見交換会をするのは教育基本法第14条第２項の「**法律に定める学校は、特定の政党を支持し、又はこれに反対するための政治教育その他政治的活動をしてはならない**」に抵触する。また、公職選挙法上、候補者や政党等以外の者が選挙運動のための演説会を開催することは禁止されており、その意見交換会等が選挙運動のための演説会と認められた場合は同法違反となる。

4　×「当該政党の思想的背景を論評することは、教育上の地位を利用した選挙運動や政治教育とはみなされず」が誤り。教育基本法第14条の政治教育は、**「学校教育における党派的政治教育」の禁止**を規定している。

5　×　生徒が投票を考えている候補や政党について尋ねる行為は誤り。
満18歳以上の生徒に対し、教員が授業において生徒にどの候補者や政党に投票したいかを尋ねることは、**投票の秘密保持の趣旨から控える必要がある**。なんぴとも投票した被選挙人の氏名を陳述する義務はない（公職選挙法第52条）。

正解　2

ワンポイントアドバイス

教育の中立性を保つため、教育は特定の勢力による不当な支配を受けてはならないことが規定されています。

問題6 教育基本法③

教育基本法に関する記述として、法令及び判例に照らして最も適切なものを1～5から一つ選びなさい。

1　第6条第1項に規定する学校においては、教育を受ける者が、学校生活を営む上で必要な規律を重んずるとともに、自ら進んで学習に取り組む意欲を高めなければならないと定めており、教育を受ける者に対してこれらを行う義務を課している。

2　第6条第1項に規定する学校の教員は、自己の崇高な使命を深く自覚し、絶えず研究と修養に励み、その職責の遂行に努めなければならないと定めており、その使命と職責の重要性から全体の奉仕者であるとしている。

3　家庭教育の自主性を尊重しつつ、保護者は子の教育について第一義的責任を有すると定めており、学校における教育をめぐって保護者と学校との対立が生じた場合には、その調整に際して家庭教育に優越的立場がある。

4　国及び地方公共団体が設置する学校による特定の宗教のための宗教教育の禁止を定めており、格技の授業に信教上の理由で参加しない児童・生徒に対して、学校が代替種目による措置を行うことは、特定の宗教を援助する効果を生じるので認められない。

5　教育は不当な支配に服することなく行われるべきものであるとともに、国は全国的な教育の機会均等と教育水準の維持向上を図るため、教育に関する施策を総合的に策定し実施しなければならないと定めており、国の教育内容への介入は必要かつ合理的な範囲で認められる。

学習日 ／ ／ ／

解答解説

1　×　「教育を受ける者に対してこれらを行う義務を課している」が誤り。

この条文は第6条第2項に関する問題で、体系的な教育が行われる際の重視すべき点が示されている。**「これらの義務を課」されているのは「教育を受ける者」ではなく、教育を行う側である。**

2　×　教員は「全体の奉仕者であるとしている」が誤り。

正しくは教育基本法第9条第2項「前項の**教員については、その使命と職責の重要性にかんがみ、(中略)、養成と研修の充実が図られなければならない**」。

3　×　「学校における教育をめぐって保護者と学校との対立が生じた場合には、その調整に際して家庭教育に優越的立場がある」が誤り。

保護者が子どもの教育について、第一義的責任を有する（教育基本法第10条第1項）が、**学校教育における対立が生じた場合、保護者、学校のどちらかに優位性があるとは示されていない。**

4　×　神戸高専剣道実技拒否事件に関する問題。「特定の宗教を援助する効果を生じるので認められない」が誤り。「**代替措置を講じることは、特定の宗教に対する援助をするわけではない**」とした（最判平8.3.8）。

この事件で学校側は、代替授業の措置を行うことは「国及びその機関は、宗教教育その他いかなる宗教的活動もしてはならない（日本国憲法第20条第3項）」に抵触すると主張したが、最高裁はこれを棄却している。

5　○　肢文の通り、正しい（教育基本法第16条）。

正解　5

ワンポイントアドバイス

法律・判例の全文を覚えるのではなく、重要語句を中心にして内容を理解しておくことで、関連する法律や判例について問われたときにも、対応できるようになります。

問題7 学校教育法①

就学に関する次の記述ア～エのうち、法令に照らして正しいものを選んだ組合せとして適切なものを１～５から一つ選びなさい。

ア　区市町村の教育委員会は、当該区市町村の区域内に住所を有する学齢児童について、当該区市町村の住民基本台帳に基づいて、学齢簿を編製しなければならない。

イ　保護者は、指定された小学校への就学を変更する場合、速やかに、変更前の小学校の校長と新たに指定された小学校の校長に対し、子の入学の変更を届け出なければならない。

ウ　学齢児童で、病弱、発育不完全によって、就学困難と認められる者の保護者に対しては、小学校の校長は、区市町村の教育委員会の定めるところにより、就学義務を猶予又は免除することができる。

エ　小学校の校長は、毎学年の終了後、速やかに、小学校の全課程を修了した者の氏名をその者の住所の存する区市町村の教育委員会に通知しなければならない。

1　ア・ウ
2　ア・エ
3　イ・ウ
4　イ・エ
5　ウ・エ

学習日 ／ ／ ／

解答解説

ア　○　肢文の通り、正しい（学校教育法施行令第１条第１項）。

イ　×「保護者は」が誤り。学校教育法施行令第８条を参照。**就学の変更**があった場合、変更前後の学校、および保護者に対して**通知を行うのは区市町村の教育委員会である**。なお、就学を変更できるのは、保護者の申立てによることと、区市町村の教育委員会が「相当である」と認める必要がある。

ウ　×「小学校の校長」が誤り。学校教育法第18条を参照。就学義務の猶予や免除を行うのは、「**市町村の教育委員会**」である。また、その根拠とするのは「区市町村の教育委員会の定め」ではなく**「文部科学大臣」の定めるところによる。**

エ　○　肢文の通り、正しい（学校教育法施行令第22条）。

正解　2

ワンポイントアドバイス

児童生徒の就学期間は学校教育法に定められています。また就学義務の猶予・免除に関しては事務手続きがあり、状況によって、手続きをしなければならない主体もさまざまなので整理しておきましょう。

問題8 学校教育法②

公立学校の就学に関する記述として、法令に照らして適切なものを1～5から一つ選びなさい。

1. 保護者は、子の満七歳に達した日の翌日以後における最初の学年の初めから、満十三歳に達した日の属する学年の終わりまで、子を小学校等に就学させる義務を負う。
2. 学齢児童又は学齢生徒で、病弱や発育不完全のため、就学困難と認められる者の保護者に対しては、地方公共団体の長は、就学させる義務を猶予又は免除することができる。
3. 経済的理由によって、就学困難と認められる学齢児童又は学齢生徒の保護者に対しては、国は必要な援助を与えなければならない。
4. 区市町村教育委員会は、当該区市町村の住民基本台帳に基づいて、区域内に住所を有する学齢児童及び学齢生徒について、学齢簿を編製しなければならない。
5. 保護者は、区市町村教育委員会が指定した小学校、中学校等への就学を変更する場合、速やかに変更以前の学校の校長に対し、子が入学しない旨を届け出なければならない。

学習日 ／ ／ ／

解答解説

1　×　「満七歳」ではなく「**満六歳**」。「満十三歳」ではなく「**満十二歳**」。「保護者は、子の満六歳に達した日の翌日以後における最初の学年の初めから、満十二歳に達した日の属する学年の終わりまで、これを小学校、義務教育学校の前期課程又は特別支援学校の小学部に就学させる義務を負う」（学校教育法第17条第１項）。

2　×　「地方公共団体の長」が誤り。**就学義務の猶予または免除を認める機関は区市町村の教育委員会**である（学校教育法第18条）。

3　×　「国は必要な援助を与えなければならない」が誤り。**保護者に必要な援助を与えるのは区市町村**である（学校教育法第19条）。

4　○　肢文の通り、正しい。学校教育法施行令第１条による。

5　×　「保護者は」が誤り。**就学の変更を通知するのは「区市町村の教育委員会」**である（学校教育法施行令第８条）。

正解 4

ワンポイントアドバイス

「学校」や「義務教育」といった言葉の法律上の定義や規定をしっかりとおさえておきましょう。改正法で規定された「義務教育の目的」は頻出問題です。

問題9 学校教育法③

公立学校の学期や休業日等に関する記述として、法令に照らして適切なものを１～５から一つ選びなさい。

1．学校の学期並びに夏季、冬季、学年末、農繁期等における休業日又は家庭及び地域における体験的な学習活動その他の学習活動のための休業日は、当該学校を設置する区市町村又は都道府県の教育委員会が定める。

2．学校の学年は、４月２日に始まり、翌年４月１日に終わる。ただし、高等学校において修業年限が３年を超える定時制の課程を置く場合は、その最終の学年は、９月30日に終わるものとすることができる。

3．授業終始の時刻は、当該学校を設置する区市町村又は都道府県の教育委員会が、校長の意見やその地域の事情等を考慮して適切に定める。

4．学校における休業日は、「国民の祝日に関する法律に規定する日」、「日曜日及び土曜日」、「地方公共団体の長が定める日」と定められている。

5．非常変災その他急迫の事情があるときは、校長は、当該学校を設置する地方公共団体の長の許可を得て、臨時に授業を行わないことができる。

学習日 ／ ／ ／

解答解説

1　○　肢文の通り、正しい（学校教育法施行令第29条第１項）。

2　×「４月２日に始まり、翌年４月１日に終わる」が誤り。学校教育法施行規則第59条において「**小学校の学年は、４月１日に始まり、翌年３月31日に終わる**」とされている。

3　×「区市町村又は都道府県の教育委員会が」が誤り。学校教育法施行規則第60条には、「**授業終始の時刻は、校長が定める**」とある。

4　×「地方公共団体の長が定める日」が誤り。**学校の休業日**について、学校教育法施行規則第61条には「**教育委員会が定める日**」とある。

5　×　非常変災などの**急迫した状況の中で、校長は「臨時に授業を行わない」という判断をすることができる**。その時「当該学校を設置する地方公共団体の長の許可を得」る必要はなく、その旨を地方公共団体の教育委員会に報告すればよい。学校教育法施行規則第63条を参照。

正解　1

ワンポイントアドバイス

学年の区切り方は二学期制や三学期制があり、休業日、授業開始時刻もさまざまです。その決定者に関する正誤問題が頻出しているので、種類や内容を把握しておきましょう。

問題10 学校教育法④

公立学校の学期や休業日等に関する記述として、法令に照らして適切なものを１～５から一つ選びなさい。

1．　授業終始の時刻は、季節、通学距離、交通事情等を考慮して、学校の設置者が適切に定めなければならない。

2．　学年は、４月１日に始まり、翌年３月31日に終わる。ただし、高等学校において修業年限が３年を超える定時制の課程を置く場合、その最終の学年は８月31日に終わることができる。

3．　学校の設置者は、感染症の予防上必要があるときは、臨時に、学校の全部を休業することができる。ただし、学校の一部を休業することはできない。

4．　学校における休業日は、「国民の祝日」、「日曜日及び土曜日」、「地方公共団体の長が定める日」と定められている。

5．　校長は、非常変災その他急迫の事情があり、臨時に授業を行わない措置をとった場合には、この旨を当該学校を設置する地方公共団体の教育委員会に報告しなければならない。

学習日　／　／　／

解答解説

1　×　「学校の設置者」が誤り。**授業開始の時刻を決めるのは校長**である。学校教育法施行規則第60条による。

2　×　「最終の学年は８月31日に終わることができる。」が誤り。正しくは**9月30日**。学校教育法施行規則第104条第２項による。

3　×　「学校の一部を休業することはできない」が誤り。感染症の予防上必要があるときは、「臨時に、学校の全部又は**一部の休業を行うことができる**」が正しい。学校保健安全法第20条による。

4　×　「地方公共団体の長が定める日」が誤り。正しくは「**教育委員会**が定める日」である。学校教育法施行規則第61条による。

5　○　肢文の通り、正しい（学校教育法施行規則第63条）。

正解 5

ワンポイントアドバイス

学校には学期の区切りや休み、臨時の休み、授業開始時刻などさまざまな決まりごとがあります。それぞれの決定者に関する問題は頻出です。整理して覚えておきましょう。

問題11 学校教育法⑤

学校教育法に関する記述として適切なものを１～５から一つ選びなさい。

1．　この法律で、学校とは、幼稚園、小学校、中学校、義務教育学校、高等学校、中等教育学校、特別支援学校、大学及び専修学校のことである。

2．　校長は、教育上必要があると認めるときは、文部科学大臣の定めるところにより、児童・生徒に懲戒を加えることができるが、教員は懲戒を加えることができない。

3．　経済的理由によって、就学困難と認められる学齢児童又は学齢生徒の保護者に対しては、区市町村は、必要な援助を与えなければならない。

4．　校長は、性行不良であって他の児童・生徒の教育に妨げがあると認める児童・生徒があるときは、その生徒の保護者に対して、出席停止を命ずることができるが、児童の保護者に対して出席停止を命ずることはできない。

5．　小学校、中学校には、校長、副校長、主幹教諭、主任教諭、教諭、養護教諭、栄養教諭及び事務職員を置かなければならない。

学習日 ／ ／ ／

解答解説

1　×　学校教育法に定められた「学校」に、専修学校は含まれない。正しくは**高等専門学校**である（学校教育法第１条）。

2　×「教員は懲戒を加えることができない」が誤り。児童・生徒に懲戒を加えることができるのは、**校長と教員**である（学校教育法第11条）。

3　○　肢文の通り、正しい。経済的な理由によって就学が困難な児童生徒に対しては、**学校教育法第19条**に基づいて、**各市町村が学用品代や給食費などの援助を行なっている**。

4　×「校長は」が誤り。出席停止を命ずることができるのは、「**区市町村の教育委員会**」である。また、区市町村の教育委員会は、**児童・生徒の区別なく**その保護者に対して出席停止を命ずることができる（学校教育法第35条、第49条）。

5　×　学校教育法第37条第１項では、「小学校には校長、教頭、教諭、養護教諭及び事務職員を置かなければならない」とあるが、同条第２項には「小学校には、前項に規定するもののほか、副校長、主幹教諭、指導教諭、栄養教諭その他必要な職員を置くことができる」とあり、**副校長、主幹教諭、栄養教諭の設置義務はない**。この規定は中学校にも適用される（学校教育法第49条）。

正解　3

ワンポイントアドバイス

学校教育法に定められた「学校」の定義を押さえておきましょう。
また、教育委員会と学校の仕事の権限や役割分担についても整理しておきましょう。

問題1 学校運営に関する法規①

学校の設置等に関する記述として、法令に照らして適切なものを１～５から一つ選びなさい。

1　学校を設置する際の設備、編制その他に関する設置基準は、学校の種類に応じ、地方公共団体が定めている。

2　区市町村の設置する高等学校、中等教育学校及び特別支援学校の設置廃止、設置者の変更は、文部科学大臣の認可を受けなければならない。

3　区市町村立小学校の設置者は、その設置する学校を管理し、教職員の給与や施設、設備の維持など、その学校の経費の全額を必ず負担しなければならない。

4　特別支援学校には、いかなる場合においても小学部及び中学部を置かなければならず、小学部及び中学部を置かないで幼稚部又は高等部のみを置くことはできない。

5　特別支援学校には、寄宿舎を設けなければならないが、特別の事情のあるときは、これを設けないことができる。

学習日 ／ ／ ／

解答解説

1　×　「地方公共団体が定めている」が誤り。**正しくは文部科学大臣**（学校教育法第３条）。

2　×　「文部科学大臣の許可」が誤り。**正しくは都道府県の教育委員会**（学校教育法第４条第１項第２号）。

3　×　「その学校の経費の全額を必ず負担しなければならない」が誤り。学校教育法第５条には、「**法令に特別の定のある場合を除いて**」学校の設置者が経費を負担するとしている。特別な定の例としては、市（指定都市を除く。特別区も含む。）町村立の小学校、中学校、義務教育学校、中等教育学校の前期課程、特別支援学校の教職員の給与については、市町村立学校職員給与負担法により、例外的に都道府県が負担すること（市町村立学校職員給与負担法第１条）などがある。

4　×　「いかなる場合においても」が誤り。学校教育法第76条第１項には「**特別の必要のある場合においては、小学部あるいは中学部のいずれかのみを設置できる**」とある。また同法同条第２項は、特別の必要がある場合には、小中学部を設置せずに幼稚部または高等部のみを置くことができると規定している。

5　○　肢文の通り、正しい（学校教育法第78条）。

正解 5

ワンポイントアドバイス

学校教育法では学校の設備や職員の給与などの経費は、設置者が負担すると定めています。公立学校における「設置者」とは、その学校を設置している自治体の教育委員会を指しています。設置者は施設設備の設置などの学校運営の主体となる存在ですが、例外もあることを確認しておきましょう。

問題2 学校運営に関する法規②

公立学校の就学又は入学に関する記述として、法令に照らして適切なものを1～5から一つ選びなさい。

1　児童の住所の存する区市町村以外の区市町村が設置する小学校へ就学を希望する際は、その保護者は、就学を希望する小学校を設置する区市町村の教育委員会の承諾を証する書面を添え、児童の住所の存する区市町村の教育委員会に届け出る必要がある。
2　小学校の校長は、当該学校の存する区市町村内に住所を有する学齢児童のうち、当該学校に就学予定の学齢児童について、当該区市町村の住民基本台帳に基づいて学齢簿を編製しなければならない。
3　中高一貫教育校のうち、連携型高等学校の入学については、連携型中学校の生徒に対して学力検査以外の資料により入学者の選抜を行うことができるが、併設型高等学校の入学については、当該高等学校に係る併設型中学校の生徒に対して学力検査を行わなければならない。
4　高等学校における海外帰国生徒の編入学において、第一学年の途中又は第二学年以上に入学を許可される者の条件は、当該学年に在学する者と同等以上の学力を有していることであるため、入学する学年の相当年齢に達していない場合でも入学が許可される。
5　特別支援学校高等部の入学については、特別の事情があるときは、学力検査を行わないことができるが、中学校から送付された調査書は、必ず入学者の選抜のための資料としなければならない。

学習日 ／ ／ ／

解答解説

1　○　肢文の通り、正しい（学校教育法施行令第９条第１項）。

2　×　「小学校の校長」が誤り。学齢簿を編製する義務があるのは**区市町村の教育委員会**である（学校教育法施行令第１条第１～２項）。

3　×　併設型中学校の生徒が当該高等学校に入学するとき「学力検査を行わなければならない」が誤り。併設型中学校・高等学校は、中等教育学校に準じた教育が行われる、いわゆる「６年間一貫教育」であるため、**高校入学時に入学試験を行う必要はない**。

4　×　「入学する学年の相当年齢に達していない場合でも入学が許可される」が誤り。学校教育法施行規則第91条には、「第１学年の途中又は第２学年以上に入学を許可される者は、**相当年齢に達し**、当該学年に在学する者と同等以上の学力があると認められた者とする」とある。

5　×　「調査書は、必ず入学者の選抜のための資料としなければならない」が誤り。特別支援学校への入学は、個別の教育支援計画を作成し、障害の程度が就学基準に該当するのか、あるいはその児童生徒にとって必要な教育的ニーズは何かなど、保護者や専門家の意見、就学先の学校でできる教育や支援の内容などを総合的に判断して決定されるので、**中学校から送付された調査書が必須の選抜資料とはならない**（学校教育法施行規則第90条第３項、135条第５項）。

正解　1

ワンポイントアドバイス

「一条校」とひとことで言っても、成り立ちや設置者が異なる学校があります。例えば小中学校の設置義務は市町村にあり、特別支援学校の設置義務は都道府県にあります。各学校の種類と、それぞれ学校運営の経費はどのような法律に基づいて誰が負担しているのかを整理しておきましょう。

問題3 学校運営に関する法規③

公立学校の学期や休業日等に関する記述として、法令に照らして適切なものを1～5から一つ選びなさい。

1　中学校の第三学年は常に卒業式の日に終わり、高等学校の第一学年は常に入学式の日に始まる。
2　校長は、あらかじめ自校を所管する教育委員会に届け出た土曜日に行う授業日を、授業日でない他の土曜日に変更する場合には、再度届け出ることなく実施することができる。
3　教育委員会が必要と認める場合には、国民の祝日に授業日を定め、その日の代替として平日に休業日を定めることができる。
4　学期の始期及び終期は、校長が学校や地域の実情を考慮した上で定め、自校を所管する教育委員会に届け出なければならない。
5　校長は、非常変災その他急迫の事情があり、臨時に授業を行わない措置をとる場合には、自校を設置する地方公共団体の長に報告しなければならない。

学習日 ／ ／ ／

解答解説

1　×　**学年は４月１日に始まり、翌年３月31日に終わる**（学校教育法施行規則第59条、第79条）。

2　×　「再度届け出ることなく実施することができる。」が誤り。公立学校の休業日は土曜日、日曜日、国民の祝日の他に、教育委員会が定める日がある。学校が休業日に授業を行う場合には教育委員会の許可が必要なので、**変更する場合には再び教育委員会への届出が必要である。**

3　○　肢文の通り、正しい。

4　×　「校長が学校や地域の実情を考慮した上で定め、」が誤り。学期の始まりと終わりは、その学校を設置した**都道府県・市町村の教育委員会が定める**（学校教育法施行令第29条第１項）。

5　×　「地方公共団体の長」が誤り。非常変災その他急迫の事情があるとき、校長が臨時休業の報告をするのは**地方公共団体の教育委員会**である（学校教育法施行規則第63条）。

正解 3

ワンポイントアドバイス

学校の管理運営については、学年、学期、休業日などの基本事項を押さえておきましょう。これらの記述に関する正誤問題が頻出です。

問題4 学校運営に関する法規④

学校図書館及び子供の読書活動に関する記述として、法令に照らして適切なものを1～5から一つ選びなさい。

1　法令に基づき都道府県が策定した「子ども読書活動推進基本計画」に従い、児童・生徒の読書活動の状況等を踏まえ、学校ごとに読書活動推進計画を策定しなければならない。

2　国は、学校図書館を整備し、その充実を図るために、学校図書館の設置及び運営に関し、専門的、技術的な指導及び勧告を与えることに努めなければならない。

3　学校には、学校図書館を設け、図書、視覚聴覚教育の資料その他学校教育に必要な資料を収集し、これを児童・生徒及びその保護者の利用に供しなければならない。

4　学校図書館には、専門的職務を掌る図書館司書を必ず置くものとし、教育委員会が国の委嘱を受けて行う司書教諭の資格を得るための講習を受講させなければならない。

5　子供の読書活動についての関心と理解を深め、子供が積極的に読書活動を行う意欲を高めるため、都道府県ごとに「子ども読書の日」の日にちを定めなければならない。

学習日 ／ ／ ／

解答解説

1　×　子ども読書活動推進**基本**計画は都道府県ではなく**政府**が策定する。その上で、「**都道府県は**、子ども読書活動推進基本計画を基本とするとともに……当該都道府県における子どもの読書活動の推進に関する施策についての計画（以下「都道府県子ども読書活動**推進**計画」という。）を策定するよう努めなければならない」（子どもの読書活動の推進に関する法律第９条）としている。

2　○　肢文の通り、正しい（学校図書館法第８条第２号）。

3　×　「保護者の利用」が誤り。正しくは「**教員**」の利用である（学校図書館法第４条第１項）。

4　×　「教育委員会が」が誤り。正しくは「**大学その他の教育機関**」。司書教諭の資格を得るための講習を国から委嘱されるのは教育委員会ではなく大学その他の教育機関である（学校図書館法第５条第３項）。

5　×　「都道府県ごとに」が誤り。「子どもの読書活動の推進に関する法律」第10条第２項では、**４月23日を子ども読書の日と定めている**。さらに同法同条第３項では「国及び地方公共団体は、子ども読書の日の趣旨にふさわしい事業を実施するよう努めなければならない。」と定めており、子ども読書の日は全国一律のものである。

正解 2

ワンポイントアドバイス

「学校図書館法」は昭和28年に設置された法律ですが、学校司書に関する記述が加えられたのは平成26年のことです。「学校司書」は図書館に必ず置く規定ではありませんが、近年は図書館機能を利用した学習が重視されるので、さまざまな教育の場面と関わりのある学校司書の職務には注目しておきましょう。

問題5 学校運営に関する法規⑤

「学校保健安全法」に関する記述として適切なものを1～5から一つ選びなさい。

1 「学校の設置者は、児童生徒等の安全の確保を図るため、その設置する学校において、事故等により児童生徒等に生ずる危険を防止することができるよう、当該学校の施設及び設備並びに管理運営体制の整備充実その他の必要な措置をとらなければならない。」とされている。
2 「学校においては、児童生徒等の安全の確保を図るため、当該学校の施設及び設備の安全点検を除いた学校生活その他の日常生活における安全に関する指導、職員の研修その他学校における安全に関する事項について計画を策定し、これを実施しなければならない。」とされている。
3 「校長は、当該学校の施設又は設備について、児童生徒等の安全の確保を図る上で支障となる事項があると認めた場合には、遅滞なく、その改善を図るために必要な措置を講じ、又は当該設置を講ずることができないときは、文部科学大臣に対し、その旨を申し出るものとする。」とされている。
4 「学校においては、児童生徒等の安全の確保を図るため、当該学校の実情に応じて、危険等発生時において当該学校の職員がとるべき措置の具体的内容及び手順を定めた対処要領を作成するものとする。」とされている。
5 「学校においては、児童生徒等の安全の確保を図るため、児童生徒等の保護者との連携を図るとともに、当該学校が所在する地域の実情に応じることなく、関係機関、関係団体、当該地域の住民その他の関係者との連携を図るよう努めるものとする。」とされている。

学習日 ／ ／ ／

解答解説

1　×　「必要な措置をとらなければならない」が誤り。学校の設置者は、学校の施設及び設備並びに管理運営体制の整備充実その他の必要な措置を**講ずるよう努めるものとする**（学校保健安全法第26条）。

2　×　「施設及び設備の安全点検を除いた」が誤り。学校は、**施設及び設備の安全点検、児童生徒等に対する通学を含めた**学校生活その他の日常生活における安全に関する指導をしなければならない（学校保健安全法第27条）。

3　×　「文部科学大臣」が誤り。校長は、**当該学校の設置者**に対し申し出なければならない（学校保健安全法第28条）。

4　○　肢文の通り、正しい。学校保健安全法第29条第１項による。

5　×　「地域の実情に応じることなく」が誤り。**地域の実情に応じて**、関係機関や団体、関係者との連携を図るよう努める（学校保健安全法第30条）。

正解　4

ワンポイントアドバイス

学校保健安全法は平成21年４月に、それまでの「学校保健法」に「安全」という言葉を追加して改正されました。学校保健に関する内容では学校環境衛生基準の法制化や、保健室と養護教諭の役割が明確にされています。一方の「学校安全」に関する内容は、災害や不審者の侵入等への対応など、学校安全体制の強化に関する法規が加えられています。どちらも近年の教育現場で注視しなければならない事項なのでしっかりとおさえておきましょう。

問題6 学校運営に関する法規⑥

学校において備えなければならない表簿に関する記述として、法令に照らして適切なものを１～５から一つ選びなさい。

1　校長は、児童・生徒が自己若しくは家族の事情により転学した場合においては、当該児童・生徒の指導要録の原本を転学先の校長に送付しなければならない。

2　区市町村又は都道府県の設置する小学校、中学校及び高等学校が廃止された際は、文部科学大臣が、当該学校に在学し、又はこれを卒業した者の指導要録を保存しなければならない。

3　校長は、当該学校に在学する児童・生徒について出席簿を作成し、作成した年度の終わりに指導要録にその内容を記入した後、翌年度の４月に出席簿を廃棄することができる。

4　学則、日課表、教科用図書配当表、学校医執務記録簿、学校歯科医執務記録簿、学校薬剤師執務記録簿及び学校日誌は、５年間保存しなければならない。

5　平成24年３月に卒業した児童・生徒の指導要録のうち、入学、卒業等の学籍に関する記録については、平成29年３月に廃棄することができる。

学習日 ／ ／ ／

解答解説

1　×　「原本を」が誤り。転学の場合には「指導要録の写しを作成し、**原本ではなくその写し**」を転学先の校長に送付する（学校教育法施行規則第24条第３項）。

2　×　「文部科学大臣が」が誤り。指導要録を保存すべきは「当該学校を設置していた市町村又は都道府県の教育委員会」である（学校教育法施行令第31条）。

3　×　「作成した翌年度の４月に出席簿を破棄することができる」が誤り。「表簿は、～**五年間保存しなければならない**」（学校教育法施行規則第28条第２項）。出席簿は「学校に備えなければならない表簿」の一つである。

4　○　肢文の通り、正しい。学校教育法施行規則第28条第１項第２号及び同法同施行規則同条第２項による。

5　×　「平成29年３月に廃棄することができる」が誤り。指導要録及びその写しのうち入学、卒業等の学籍に関する記録については、その**保存期間は、20年間**とする（学校教育法施行規則第28条第２項）。

正解　4

ワンポイントアドバイス

指導要録の保存期間についての正誤問題は頻出です。指導要録とは、児童生徒などの学習や健康の状況を記録した書類の原本です。児童生徒の記録には「学籍に関する記録」もありますが、これは氏名・性別・生年月日・保護者の氏名や現住所などが記載されています。指導要録と学籍は保存期間が異なるのでチェックしておきましょう。

問題7 学校運営に関する法規⑦

次の各文は、学校保健安全法の条文または条文の一部であるが、下線部については誤りが含まれているものがある。条文または条文の一部として下線部が誤っているものはどれか。1～5から一つ選びなさい。

1　学校には、健康診断、健康相談、保健指導、救急処置その他の保健に関する措置を行うため、保健室を設けるものとする。
2　学校においては、救急処置、健康相談又は保健指導を行うに当たつては、必要に応じ、当該学校の所在する地域の医療機関その他の関係機関との連携を図るよう努めるものとする。
3　学校においては、毎学年定期に、児童生徒等（通信による教育を受ける学生を除く。）の健康診断を行うよう努めるものとする。
4　校長は、感染症にかかつており、かかつている疑いがあり、又はかかるおそれのある児童生徒等があるときは、政令で定めるところにより、出席を停止させることができる。
5　学校の設置者は、感染症の予防上必要があるときは、臨時に、学校の全部又は一部の休業を行うことができる。

学習日　／　／　／

解答解説

1　○　肢文の通り、正しい（学校保健安全法第７条）。

2　○　肢文の通り、正しい（学校保健安全法第10条）。

3　×「行うよう努める」が誤り。学校保健安全法第13条第１項には「健康診断を行わなければならない。」とある。

4　○　肢文の通り、正しい（学校保健安全法第19条）。

5　○　肢文の通り、正しい（学校保健安全法第20条）。

正解　3

ワンポイントアドバイス

学校保健安全法第２章第４節では、感染症の予防について述べられています。出席停止の権限があるのは校長、臨時休業は学校の設置者の権限（公立学校の場合は都道府県もしくは市町村の教育委員会）にあります。間違えやすいので注意しましょう。

問題8 学校運営に関する法規⑧

学校保健に関する記述として、法令に照らして適切なものを１～５から一つ選びなさい。

1　学校においては、感染症が発生したときは、必要に応じて、臨時に児童・生徒等の健康診断を行うものとするが、食中毒が発生したときは、必ず、臨時に健康診断を行うものとする。
2　学校において予防すべき感染症のうち、出席停止の期間の基準が定められている感染症には、インフルエンザ、百日咳、風しん、伝染性膿痂疹、水痘がある。
3　校長は、感染症による出席停止を指示した際は、学校の名称、出席を停止させた理由と期間、及び児童・生徒等の氏名を当該地域の保健所に報告しなければならない。
4　校長は、児童・生徒等及び職員の健康の保持を図るため、感染症の予防上必要があるときは、臨時に学校の全部又は一部の休業を行うことができる。
5　校長は、感染症にかかっており、かかっている疑いがあり、又はかかるおそれのある児童・生徒等があるときは、政令で定めるところにより、出席を停止させることができる。

学習日 ／ ／ ／

解答解説

1　×「食中毒が発生したときは、必ず」が誤り。正しくは「**必要があるときに、必要な項目について臨時健康診断を行う**」。学校保健安全法施行規則第10条には、臨時健康診断を行うべきときとは「感染症又は食中毒の発生した」場合とあり、どちらも必要に応じて行うものとされている。

2　×「伝染性膿痂疹」が誤り。伝染性膿痂疹（とびひ）は、学校保健安全法施行規則第18条で第三種の「その他の感染症」に分類される疾患だが、**出席停止は必要ない**と考えられている。ただしプールは避けるように指導されている。

3　×「当該地域の保健所に報告」が誤り。正しくは「**学校の設置者**」**に報告する**（学校保健安全法施行令第７条）。

4　×「校長は」が誤り。正しくは「**学校の設置者**」（学校保健安全法第20条）である。

5　○　肢文の通り、正しい（学校保健安全法第19条）。

正解　5

ワンポイントアドバイス

学校保健安全法の中で、健康診断と感染予防に関する問題は頻出しています。児童生徒が健康で安全な生活を送るうえでも基盤となるものですので、しっかり確認しておきましょう。

問題9 学校運営に関する法規⑨

教科用図書に関する記述として、法令に照らして適切なものを1～5から一つ選びなさい。

1．地方公共団体は、毎年度、義務教育諸学校の児童・生徒が各学年の課程において使用する教科用図書を購入し、当該学校の校長を通じて児童又は生徒に給与する。

2．小学校に10月に転学した児童には、転学前に給与を受けた教科用図書と転学後に使用する教科用図書が同一の場合であっても、再度、当該教科用図書が無償で給与される。

3．中学校においては、教科用図書以外の教材は、有益かつ適切なものであれば、教員は当該学校の校長に報告することにより、教科の主たる教材として授業に使用することができる。

4．高等学校においては、文部科学大臣の定めるところにより、「文部科学大臣の検定を経た教科用図書」又は「文部科学省が著作の名義を有する教科用図書」以外の教科用図書を使用することができる。

5．公立の義務教育諸学校における教科用図書の採択は、教科用図書選定審議会が行う助言により、当該義務教育諸学校の校長が、種目ごとに一種の教科用図書について行う。

学習日 ／ ／ ／

解答解説

1　×　「地方公共団体は」が誤り。児童や生徒が使用する教科用図書、いわゆる**教科書を購入し、給付するのは国である**（義務教育諸学校の教科用図書の無償措置に関する法律第３条）。

2　×　「同一の場合であっても」が誤り。転学先で教科用図書を無償供与されるのは、**転学先で使用する教科書が転学前のものと異なる場合**である（義務教育諸学校の教科用図書の無償措置に関する法律５条第２項、同法施行規則第１条）。

この場合に保護者は、転学前の校長から「転学児童（生徒）教科用図書給与証明書」を受け取り、転学後の校長に提出する必要がある。

3　×　学校教育法第34条第４項では、小学校において「教科用図書及び教材以外の教材で、有益適切なものは、これを使用することができる」とあり、これは同法第49条で中学校にも準用される。**「教科の主たる教材として授業に使用できる」という規定はない**。

4　○　肢文の通り、正しい。「高等学校においては、**文部科学大臣の検定を経た教科用図書**又は文部科学省が著作の名義を有する教科用図書のない場合には、**当該高等学校の設置者の定めるところにより、他の適切な教科用図書を使用**することができる。」（学校教育法施行規則第89条第１項）。

5　×　「義務教育諸学校において使用する教科用図書の採択は、あらかじめ選定審議会の意見をきいて、種目ごとに一種の教科用図書について行なうものとする。」とある。**「校長が採択を行う」という規定はない**。（義務教育諸学校の教科用図書の無償措置に関する法律第13条第２項）。

正解　4

ワンポイントアドバイス

教科書と著作権に関する問題は頻出しています。アニメのキャラクターや動画、音声などを使用する可否についてもおさえておきましょう。

問題10 学校運営に関する法規⑩

著作権に関する記述として最も適切なものを１～５から一つ選びなさい。

1．　体育の授業において、生徒がチームを作って創作ダンスの発表を行った。この発表の様子を録画して学校のホームページに載せる場合、発表をした生徒に了解を得る必要はない。
2．　修学旅行のしおりに、参考資料として市販のいくつかのガイドブックから名所・旧跡の記事を集めて掲載する場合、著作権者の了解を得る必要はない。
3．　運動会で、応援を華やかにするために旗にアニメのキャラクターを描いた。運動会終了後にその旗を校舎の玄関に恒常的に掲示する場合、著作権者の了解を得る必要はない。
4．　昼休みの校内放送で、教員が許可して放送室から各教室に市販のCDを再生して音楽を流す場合、著作権者の了解を得る必要はない。
5．　夏休みの宿題として提出された児童の水彩画を、児童の所属する学級の学級通信に掲載して各家庭に配布する場合、著作権者である児童やその保護者に了解を得る必要はない。

学習日 ／ ／ ／

解答解説

1　×　「発表をした生徒に了解を得る必要はない」が誤り。著作権法第35条によると、一般に公表された著作物（音楽CDや書籍等）は「必要と認められる限度において」複製して教育に役立てることができるが、児童生徒の作品は、一般に公表された著作物ではないので、**発表をした生徒に了解を得る必要がある。**著作物とは、授業中に作成された絵や作文も含まれることに注意したい。

2　×　「著作権者の了解を得る必要はない」が誤り。一般的に販売されているガイドブックは、生徒も含めた消費者が購入することが想定されているので、複製することは、著作物の利益を不当に害することになる。そこで修学旅行のしおりに転載する場合には、**ガイドブックの著作権者の了解を得る必要がある。**

3　×　「著作権者の了解を得る必要はない」が誤り。**恒常的に使用する場合には、著作権者の了解を得る必要がある。**

4　○　肢文の通り、正しい。

5　×　「児童やその保護者に了解を得る必要はない」が誤り。著作権法第35条にある「著作物」とは、授業中に児童生徒が作成した絵や作文も含まれる。つまり、児童の描いた水彩画は一般に公表されていない著作物なので、公表する場合には**教育活動の中においても著作権者の了解を得る必要がある。**

正解 4

ワンポイントアドバイス

学校教育において、教科書や参考書をはじめとした「著作物」を使用する場面は数多くあります。そのため教科書と著作物に関する問題は頻出です。具体的な事例については「学校における教育活動と著作権」（文化庁著作権課）を確認しておきましょう。

問題11 学校運営に関する法規⑪

次の文章は、学校教育の情報化の推進に関する法律に関する法律の条文である。空欄に語句を入れて完成させる場合、正しい組合せはどれか。１～５から一つ選びなさい。

第３条　学校教育の情報化の推進は、情報通信技術の特性を生かして、個々の児童生徒の能力、特性等に応じた教育、［ア］のある教育（児童生徒の主体的な学習を促す教育をいう。）等が学校の教員による適切な指導を通じて行われることにより、各教科等の指導等において、情報及び情報手段を主体的に選択し、及びこれを活用する能力の体系的な育成その他の知識及び技能の習得等（心身の発達に応じて、基礎的な知識及び技能を習得させるとともに、これらを活用して課題を解決するために必要な思考力、判断力、表現力その他の能力を育み、主体的に学習に取り組む態度を養うことをいう。）が効果的に図られるよう行われなければならない。

２　学校教育の情報化の推進は、デジタル教科書その他のデジタル教材を活用した学習その他の情報通信技術を活用した学習とデジタル教材以外の教材を活用した学習、［イ］等とを適切に組み合わせること等により、多様な方法による学習が推進されるよう行われなければならない。（中略）

５　学校教育の情報化の推進は、児童生徒等の［ウ］の適正な取扱い及びサイバーセキュリティ（サイバーセキュリティ基本法（平成26年法律第104号）第２条に規定するサイバーセキュリティをいう）の確保を図りつつ行われなければならない。

1	ア	双方向性	イ	言語学習	ウ	通信技術
2	ア	一方向性	イ	言語学習	ウ	個人情報
3	ア	双方向性	イ	体験学習	ウ	通信技術
4	ア	一方向性	イ	体験学習	ウ	個人情報
5	ア	双方向性	イ	体験学習	ウ	個人情報

学習日　／　／　／

解答解説

本法律の第１条では、「**デジタル社会の発展**に伴い、学校における**情報通信技術**の活用により学校教育が直面する課題の解決および学校教育の一層の充実を図ることが重要」としており、「**全ての児童生徒**がその状況に応じて**効果的に教育を受ける**ことができる環境の整備を図る」ことを目的としている。
第８条では、文部科学大臣に、学校教育の情報化の推進に関する施策の総合的かつ計画的な推進を図るための「**学校教育情報化推進計画**」を定めることを義務付けている。
第３条では、**基本理念**が示されている。

正解 5

ワンポイントアドバイス

学校教育の情報化の推進に関する法律は、2019年に施行された新しい法律で、通称を「教育情報化推進法」といいます。第１条の目的、第２条の定義、第３条の基本理念を中心に、おさえておきましょう。

問題12 児童・生徒に関する法規①

次の各文は、いじめ防止対策推進法の条文または条文の一部である。空欄A～Cに、あとのア～カのいずれかの語句を入れてこれらの条文または条文の一部を完成させる場合、正しい組合せはどれか。1～5から一つ選べ。

第二条　この法律において「いじめ」とは、児童等に対して、当該児童等が在籍する学校に在籍している等当該児童等と一定の人的関係にある他の児童等が行う心理的又は物理的な影響を与える行為（インターネットを通じて行われるものを含む。）であって、当該行為の対象となった児童等が［A］ものをいう。

第十六条　学校の設置者及びその設置する学校は、当該学校における［B］するため、当該学校に在籍する児童等に対する定期的な調査その他の必要な措置を講ずるものとする。

第二十二条　学校は、当該学校におけるいじめの防止等に関する措置を実効的に行うため、当該学校の複数の教職員、心理、福祉等に関する専門的な知識を有する者その他の関係者により構成される［C］を置くものとする。

ア	年間三十日以上欠席した	イ	心身の苦痛を感じている
ウ	いじめの全容を把握	エ	いじめを早期に発見
オ	いじめ問題対策連絡協議会	カ	いじめの防止等の対策のための組織

	A	B	C
1	ア	ウ	オ
2	ア	エ	カ
3	イ	ウ	オ
4	イ	エ	オ
5	イ	エ	カ

学習日 ／ ／ ／

解答解説

A　いじめの定義は、「当該行為の対象となった児童等が**心身の苦痛を感じている**ものをいう。」(いじめ防止対策推進法第２条)。

B　学校の設置者及びその設置する学校は、当該学校における「**いじめを早期に発見**」するため、当該学校に在籍する児童等に対する定期的な調査その他の必要な措置を講ずるものとする（同法第16条、いじめの早期発見のための措置）。

C　学校は、当該学校におけるいじめの防止等に関する措置を実効的に行うため、当該学校の複数の教職員、心理、福祉等に関する専門的な知識を有する者その他の関係者により構成される**いじめの防止等の対策のための組織**を置くものとする(同法第22条、学校におけるいじめの防止等の対策のための組織)。

補足

選択肢オの、「いじめ問題対策連絡協議会」とは、いじめの防止等に関係する機関及び団体の連携を図るため地方公共団体が置くことのできる組織。学校、教育委員会、児童相談所、法務局又は地方法務局、都道府県警察その他の関係者により構成される。

正解　5

ワンポイントアドバイス

いじめへの対応は、「いじめ防止対策推進法」で、文部科学大臣は「いじめ防止基本方針」を策定することになっています（第11条)。現場に即した方針は「学校いじめ防止基本方針」で定めると規定しています（第13条)。地方自治体にも「地方いじめ防止基本方針」を策定する努力義務があるので、受験する自治体の基本方針をチェックしておきましょう。

問題13 児童・生徒に関する法規②

「児童虐待の防止等に関する法律」に関する記述として適切なものを１～５から一つ選びなさい。

1．　学校教育を行う者は、児童を心身共に健やかに育成することについて第一義的責任を有するものであって、学校管理下における教育活動においては、できる限り児童の利益を尊重するよう努めなければならない。
2．　都道府県知事は、児童虐待が行われていると認めた場合に限り、児童委員又は児童の福祉に関する事務に従事する職員をして、児童の住所又は居所に立ち入り、必要な調査又は質問をさせることができる。
3．　区市町村、都道府県の設置する福祉事務所又は児童相談所が児童虐待に係る通告を受けた場合、所長、所員その他の職員及び当該通告を仲介した児童委員は、その職務上知り得た事項であって当該通告をした者を特定させるものを漏らしてはならない。
4．　都道府県知事は、児童虐待が行われているおそれがあると認めるときは、当該児童の保護者に対し、出頭することを求めることができる。ただし、当該児童を同伴しての出頭を求めることはできない。
5．　地方公共団体の機関は、区市町村長、都道府県の設置する福祉事務所の長又は児童相談所長から児童虐待の防止等に係る当該児童、その保護者その他の関係者に関する資料又は情報の提供を求められたときは、当該資料又は情報を速やかに提供しなければならない。

学習日 ／ ／ ／

解答解説

1　×　「学校教育を行う者は」が誤り。児童を心身共に健やかに育成することについて第一義的責任を有するのは、**「児童の親権を行う者」**である。

「学校管理下における教育活動においては」が誤り。できる限り児童の利益を尊重するよう努めるべきときとは**「親権を行うに当たって」**である（児童虐待の防止等に関する法律第４条)。

2　×　「児童虐待が行われていると認めた場合に限り」が誤り。児童委員又は児童の福祉に関する事務に従事する職員による立ち入り等は、上記の場合だけでなく、児童虐待が行われている**おそれがあると認めるとき**も可能となる（児童虐待の防止等に関する法律第９条)。

3　○　肢文の通り、正しい（児童虐待の防止等に関する法律第７条)。

4　×　「当該児童を同伴しての出頭を求めることはできない」が誤り。児童虐待が行われているおそれがあると認めるときには、保護者に対し、**当該児童同伴の上で出頭すること**を求めている（児童虐待の防止等に関する法律第８条の２)。

5　×　「当該資料又は情報を速やかに提供しなければならない」が誤り。当該資料は、**「児童虐待の防止等に関する事務又は業務の遂行に必要な限度で」**提供することができるとされる。また、「当該資料又は情報に係る児童、その保護者その他の関係者又は第三者の**権利利益を不当に侵害するおそれがあると認められるときは、この限りでない」**、つまり、速やかに提供する必要がないとされている(児童虐待の防止等に関する法律第13条の４)。

正解　3

ワンポイントアドバイス

社会問題化する児童虐待に関する知識や見識は、教育の現場で必ず必要となります。まずは2000年に制定された「児童虐待防止法」に記された、「虐待の定義」をしっかりチェックしておきましょう。

問題14 児童・生徒に関する法規③

児童福祉法に関する次の記述ア～エのうち、正しいものを選んだ組合せとして適切なものを１～５から一つ選びなさい。

ア　児童の保護者は、児童を心身ともに健やかに育成することについて第一義的責任を負い、国及び地方公共団体は、児童の保護者とともに、児童を心身ともに健やかに育成する責任を負う。
イ　この法律で子育て短期支援事業とは、小学校に就学している児童であって、その保護者が労働等により昼間家庭にいないものに、授業の終了後に児童厚生施設等の施設を利用して適切な遊び及び生活の場を与えて、その健全な育成を図る事業をいう。
ウ　都道府県は、児童相談所を設置しなければならず、児童相談所の所長及び所員は、都道府県知事の補助機関である職員とする。
エ　児童相談所において相談及び調査をつかさどる所員は、保育士たる資格を有する者でなければならない。

1　ア・ウ
2　ア・エ
3　イ・ウ
4　イ・エ
5　ウ・エ

学習日　／　／　／

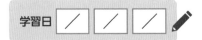

解答解説

ア　○　肢文の通り、正しい（児童福祉法第２条第２項、第３項）。

イ　×「保護者が労働等により昼間家庭にいないもの」が誤り。子育て短期支援事業とは、「**保護者の疾病その他の理由により**家庭において養育を受けることが**一時的に困難**となった児童」について、必要な保護を行うものである（児童福祉法第６条の３第３項）。

肢文は児童福祉法第６条の３第２項の「放課後児童健全育成事業」のものである。

ウ　○　肢文の通り、正しい（児童福祉法第12条第１項、第12条の３第１項）。

エ　×「保育士たる資格を有する者」が誤り。児童相談所に必ず配置しなければならない相談員は、**児童福祉司**である（児童福祉法第12条の３第４項）。児童福祉司は「士」ではなく「司」、つまり公務員試験に合格した公務員である。

正解 1

ワンポイントアドバイス

児童福祉法でいう「児童」とは、小学生だけでなく、18歳に満たない者をいいます。児童虐待の早期発見に関することや、虐待を発見したときの通告など、その対応について説明した文章の正誤問題が出題されているのでチェックしておきましょう。

問題15 児童・生徒に関する法規④

次の各文は、〔　　〕内に示されている条約及び法律の条文または条文の一部であるが、下線部については誤りが含まれているものがある。条文または条文の一部として下線部が誤っているものはどれか。１～５から一つ選びなさい。

1　〔障害者の権利に関する条約〕
この条約は、全ての障害者によるあらゆる人権及び基本的自由の完全かつ平等な享有を促進し、保護し、及び確保すること並びに<u>障害者の固有の尊厳の尊重を促進すること</u>を目的とする。

2　〔障害者基本法〕
何人も、障害者に対して、<u>障害を理由として、差別することその他の権利利益を侵害する行為</u>をしてはならない。

3　〔障害を理由とする差別の解消の推進に関する法律〕
行政機関等は、その事務又は事業を行うに当たり、障害者から現に社会的障壁の除去を必要としている旨の意思の表明があった場合において、その実施に伴う負担が過重でないときは、障害者の権利利益を侵害することとならないよう、<u>当該障害者の性別、年齢及び障害の状態に応じて、特別な配慮</u>をしなければならない。

4　〔障害者の日常生活及び社会生活を総合的に支援するための法律〕
すべての国民は、その障害の有無にかかわらず、<u>障害者等が自立した日常生活又は社会生活を営めるような地域社会の実現</u>に協力するよう努めなければならない。

5　〔発達障害者支援法〕
発達障害者の支援は、<u>全ての発達障害者が社会参加の機会が確保されること</u>及びどこで誰と生活するかについての選択の機会が確保され、地域社会において他の人々と共生することを妨げられないことを旨として、行われなければならない。

学習日　／　／　／

解答解説

1　○　肢文の通り、正しい（障害者の権利に関する条約第１条）。

2　○　肢文の通り、正しい（障害者基本法第４条第１項）。

3　×　「特別な配慮」が誤り。正しくは「**社会的障壁の除去の実施について必要かつ合理的な配慮をしなければならない。**」である（障害を理由とする差別の解消の推進に関する法律第７条第２項）。

4　○　肢文の通り、正しい（障害者の日常生活及び社会生活を総合的に支援するための法律第３条）。

5　○　肢文の通り、正しい（発達障害者支援法第２条の２第１項）。

正解 3

ワンポイントアドバイス

特別支援教育に関連して、「障害者の権利に関する条約」「障害を理由とする差別の解消の推進に関する法律」「発達障害者支援法」などの法令が出題されています。

問題16 児童・生徒に関する法規⑤

児童・生徒に対する懲戒や性行不良による出席停止に関する記述として、学校教育法及び学校教育法施行規則に照らして適切なものを１～５から一つ選びなさい。

1　校長及び教員が児童・生徒に懲戒を加えるに当たっては、教育上必要な配慮をしなければならないが、公立の小学校において、懲戒のうち、退学以外の処分については、学齢児童に対して行うことができる。
2　公立の中等教育学校における、学力劣等で成業の見込みがないと認められる生徒に対する懲戒については、退学の処分は、前期課程及び後期課程のいずれの課程においても行うことができる。
3　高等学校の生徒に対する懲戒のうち、退学の処分は校長が行わなければならないが、停学の処分は、生活指導を担当する主幹教諭が適切に対応することが可能と判断できる場合は、主幹教諭の裁量権の範囲として行うことができる。
4　区市町村教育委員会は、他の児童・生徒の教育を妨げることはないものの、施設又は設備を損壊する行為を繰り返し行う性行不良の児童・生徒がいる場合には、その保護者に対して、当該児童・生徒の出席停止を命じることができる。
5　性行不良であることが認められたことにより出席停止となった児童・生徒が、区市町村教育委員会によって定められた出席停止の期間が終了した後においても改善が認められない場合は、校長が更に出席停止の期間の延長を命じることができる。

学習日　／　／　／

解答解説

1 × 「懲戒のうち、退学以外の処分については、学齢児童に対して行うことができる」が誤り。退学以外の懲戒処分に「停学」があるが、停学は児童生徒が学ぶ機会を停止するという意味であり、**義務教育においては校長も教員も停学処分を行うことはできない**（学校教育法施行規則第26条第4項）。

2 ○ 肢文の通り、正しい（学校教育法施行規則第26条第3項）。

3 × 「停学の処分は、（中略）主幹教諭の裁量権の範囲として行うことができる」が誤り。学校教育法施行規則第26条第2項では「懲戒のうち、退学、停学及び訓告の処分は、校長が行う」とあり、退学以外の処分、すなわち**停学ができるのは校長のみ**である。

4 × 「他の児童・生徒の教育を妨げることはないものの」の部分が誤り。出席停止を命じることができるのは、「性行不良であって**他の児童の教育に妨げがあると認める児童**」だけである（学校教育法第35条第1項）。

5 × 「校長が更に出席停止の期間の延長を命じることができる」が誤り。**出席停止の権限と責任は区市町村教育委員会にあり**、その延長も同様である（学校教育法第35条第1項）。

正解 2

ワンポイントアドバイス

出席停止には「性行不良によるもの」と「感染症予防によるもの」の２種類があります。性行不良による出席停止は、保護者に対しての措置であることがポイントで、懲戒としての「停学」とは異なることに注意しましょう。
感染症予防による出席停止の問題は、学校保健に関する問題と併せて理解しておきましょう。

問題17 児童・生徒に関する法規⑥

「体罰の禁止及び児童生徒理解に基づく指導の徹底について（通知）」（文部科学省 平成25年３月）に関する記述として適切なものを１～５から一つ選びなさい。

1．教育委員会は、校長に対し、体罰を把握した場合には教育委員会に直ちに報告するよう求めるとともに、体罰を行ったと判断された教員等については、学校保健安全法の規定に違反するものであることから厳正な対応を行うことが必要である。
2．学校は、指導が困難な児童・生徒の対応について、当該児童・生徒の状況を把握している学級担任等、一部の教員に情報が集まるようにし、学級担任を中心に、指導体制を常に見直すことが必要である。
3．校長は、教員に対し、万が一体罰を行った場合や、他の教員の体罰を目撃した場合には、直ちに管理職へ報告するよう求めるなど、校内における体罰の実態把握のために必要な体制を整備することが必要である。
4．教員は、機会あるごとに自身の体罰に関する認識を再確認し、自身が児童・生徒への指導で困難を抱えた場合には、安易に他の教員等に相談したり、助けを求めたりするのではなく、まずは自身の児童・生徒への指導の在り方を見直すことが必要である。
5．教員等が児童・生徒に対して行った懲戒行為が体罰に当たるかどうかは、当該児童・生徒の年齢、健康、心身の発達状況、当該行為が行われた場所的及び時間的環境、懲戒の態様等の諸条件を総合的に考え、個々の事案ごとに判断するのではなく、法に則して一律に判断しなければならない。

学習日 ／ ／ ／

解答解説

1　×「学校保健安全法の規定」が誤り。体罰を禁止しているのは「**学校教育法第11条**」である。

2　×「一部の教員に情報が集まるようにし」が誤り。体罰の禁止に関する通知では「学校は、指導が困難な児童生徒の対応を**一部の教員に任せきりにしたり、特定の教員が抱え込んだりすることのないよう**、組織的な指導を徹底し」としている。

3　○　肢文の通り、正しい。「体罰の禁止及び児童生徒理解に基づく指導の徹底について」の通知において「4　体罰の防止と組織的な指導体制について　(2)**体罰の実態把握と事案発生時の報告の徹底**」として記載されている。

4　×「安易に他の教員等に相談したり、助けを求めたりするのではなく」が誤り。体罰の禁止に関する通知には、教員は児童生徒の指導で困難を抱えた場合や、体罰と受け取られかねない指導を見かけた場合には、「**教員個人で抱え込まないように**」としている。

5　×「個々の事案ごとに判断するのではなく、法に則して一律に判断しなければならない」が誤り。上記の通知及び、「学校教育法第11条に規定する児童生徒の懲戒・体罰に関する参考事例」では、その事案が体罰に該当するかどうか「**個々の事案ごとに判断する必要がある**」としている。

正解　3

ワンポイントアドバイス

文部科学省は2013年３月に「体罰の禁止及び児童生徒理解に基づく指導の徹底について」を通知しました。懲戒と体罰は混同しやすいので、どのような行為が体罰にあたるのか、事例を分析しておくと理解が深まります。

問題18 児童・生徒に関する法規⑦

公立学校の児童・生徒に対する懲戒や性行不良による出席停止に関する記述として、法令に照らして適切なものを１～５から一つ選びなさい。

1．区市町村の教育委員会は、性行不良であって他の児童・生徒の教育に妨げがあると認める公立の小学校、中学校の児童・生徒に出席停止を命ずる場合には、あらかじめ保護者の意見を聴取するとともに、理由及び期間を口頭で伝えなければならない。

2．区市町村の教育委員会は、出席停止の命令に係る公立の小学校、中学校の児童・生徒の出席停止の期間における学習に対する支援その他の教育上必要な措置を講ずるものとする。

3．公立の高等学校の生徒に対する懲戒のうち、退学及び停学の処分は、校長が行うが、訓告の処分は、生活指導を担当する主幹教諭が行うことができる。

4．公立の小学校、中学校、特別支援学校における懲戒のうち、退学の処分は、性行不良で改善の見込がないと認められる者には行うことができるが、学力劣等で成業の見込がないと認められる者には行うことができない。

5．公立の小学校、中学校、特別支援学校における懲戒のうち、停学の処分は、学齢児童又は学齢生徒に対して、行うことができる。

学習日 ／ ／ ／

解答解説

1　×　「口頭で伝えなければならない」が誤り。児童・生徒に**出席停止を命ずるとき**、理由や期間に関する伝達は**文書で行う**（学校教育法第35条第２項）。

2　○　肢文の通り、正しい（学校教育法第35条第４項）。

3　×　「訓告の処分は、生活指導を担当する主幹教諭が行うことができる」が誤り。**退学、停学、訓告の処分は校長が行う**（学校教育法施行規則第26条第２項）。

4　×　「公立の小学校、中学校、特別支援学校……退学の処分……行うことができる」が誤り。**公立の義務教育を行う学校で退学処分はできない**。退学処分ができるのは、国立・私立の小中学校、高等学校、高等専門学校、大学である（学校教育法施行規則第26条第３項）。

5　×　「停学の処分は……行うことができる」が誤り。**停学は、義務教育の段階では行うことはできない**（学校教育法施行規則第26条第４項）。

正解 2

ワンポイントアドバイス

公立学校における出席停止や懲戒に関する問題が出題されています。「停学」と「性行不良による出席停止」は、それぞれ目的が違うことを整理して理解を深めておきましょう。

問題１ 教員や職員に関する法規①

公立学校の教職員の職務又は配置に関する記述として、法令に照らして適切なものを１～５から一つ選びなさい。

1．　学校には、校長、教頭、教諭、養護教諭、栄養教諭及び事務職員を置かなければならない。
2．　副校長は、校長を助け、命を受けて校務をつかさどる職として、置くことができる。
3．　主幹教諭は、児童・生徒の教育をつかさどり、並びに教諭その他の職員に対して、教育指導の改善及び充実のために必要な指導及び助言を行う職として、置くことができる。
4．　養護教諭は、学校における保健管理に関する専門的事項に関し、技術及び指導に従事する職として、置かなければならない。
5．　指導教諭は、副校長及び主幹教諭を助け、命を受けて校務の一部を整理し、並びに児童・生徒の教育をつかさどる職として、置くことができる。

学習日 ／ ／ ／

解答解説

1　×　「置かなければならない」が誤り。栄養教諭の設置は「**任意設置**」であり義務付けされているものではない（学校教育法第37条第１項）。

2　○　肢文の通り、正しい（学校教育法第37条第５項）。

3　×　「教諭その他の職員に対して……必要な指導及び助言を行う職」が誤り。学校教育法第37条第９項では「**主幹教諭は、校長及び教頭を助け、命を受けて校務の一部を整理し**、並びに児童の教育をつかさどる」とされている。

4　×　「保健管理に関する専門的事項に関し、技術及び指導」が誤り。学校教育法第37条第12項には「**養護教諭は、児童の養護をつかさどる**」とある。養護の内容は、校長や教員、学校医などと連携を取りながら児童生徒の健康情報を把握し、健康の保持増進を行うことである。

5　×　「指導教諭は」が誤り。「校務の一部を整理」するのは**主幹教諭の役割**である。指導教諭は児童に対する教育に加えて教諭や職員に対しても助言や指導を行う教諭である。職務の級は特２級で、３級である教頭と２級である教諭の間にある職務である（学校教育法第37条第９項）。

正解 2

ワンポイントアドバイス

教員や職員の職務を把握するために「服務規定」を確認しておきましょう。学校教育法の改正に伴い平成19年度に創設された副校長、主幹教諭、指導教諭の役割は混乱しがちなので整理しておくといいでしょう。

問題2 教員や職員に関する法規②

公立学校の教員の採用及び任用等に関する記述として、法令に照らして適切なものを1～5から一つ選びなさい。

1．　大学附置の学校以外の公立学校の教員の採用は、地方公共団体の職員の採用と同じく競争試験によるものとし、その競争試験は、任命権者である教育委員会の教育長が行う。
2．　公立の小学校等の教員の給与は、これらの者の職務と責任の特殊性に基づき、条例で定めるものとする。
3．　教諭の採用は、全て条件付のものとし、当該教諭がその職において6か月間、良好な成績で勤務した場合に正式採用になる。
4．　公立学校の教員の休職の期間は、結核性疾患のため長期の休養を要する場合の休職においては満2年とするが、任命権者が認めるときは、満5年まで延長することができる。
5．　公務員は、一般職と特別職とに分けられており、教育公務員のうち常勤の教員は一般職であるが、校長及び教育委員会の専門的教育職員はその職責の重要性から特別職である。

学習日　／　／　／

解答解説

1　×　「競争試験」が誤り。教育公務員特例法第11条に「公立学校の校長の採用並びに教員の採用及び昇任は、**選考によるものとし**」とある。

2　○　肢文の通り、正しい。教育公務員特例法第13条第１項の規定である。

3　×　「６か月間、良好な成績で勤務した場合に正式採用」が誤り。地方公務員の条件付任用期間は６か月だが、教員の条件付任用期間は**１年**である。教育公務員特例法第12条第１項では地方公務員法第22条にある「６月」を、**教員の任用では１年として適用する**ように規定している。

4　×　「満５年まで延長できる」が誤り。教員の休職について、結核性疾患のため長期休養をする場合、「特に必要があると認めるときは、予算の範囲内において、その**休職の期間を満３年まで延長することができる。**」（教育公務員特例法第14条第１項）。

5　×　「校長及び教育委員会の専門的教育職員」を特別職としているのが誤り。地方公務員法第３条第３項には、地方公務員の特別職が列挙されているが、その中に**校長も教育委員会の専門的教育職員も入っていない。**

正解　2

ワンポイントアドバイス

教育公務員について定めた法律には、地方公務員の規定に、教育公務員ならではの特例が加わります。その内容にはより厳しいものと緩やかなものがあるので、それぞれの差異に注目すると覚えやすいでしょう。

問題3 教員や職員に関する法規③

公立の小学校、中学校、高等学校及び特別支援学校の教職員の職務に関する記述として、学校教育法及び学校教育法施行規則に照らして適切なものを１～５から一つ選びなさい。

1　校長は、校務をつかさどり、所属職員を監督することを職務としており、当該学校の設置者の定めるところの職員会議は、校長が主宰する。
2　副校長は、校長を補佐することが職務の一つであり、自らの権限で整理することができる校務はない。
3　主幹教諭は、校長、副校長を補佐することを主な職務としており、命を受けて校務全般を整理するとともに、児童・生徒の教育をつかさどる。
4　指導教諭は、教諭に対して教育指導の改善及び充実のために必要な指導及び助言を行うことを職務としており、指導方法の工夫、改善について教諭を監督できる立場にある。
5　栄養教諭は、児童・生徒の栄養の指導及び管理をつかさどり、当該学校に置かれる保健主事には、栄養教諭を充てることができる。

学習日　／　／　／

解答解説

1　○　肢文の通り、正しい（学校教育法第37条第４項、同法施行規則第48条）。

2　×「自らの権限で整理することができる校務はない」が誤り。「副校長は、校長を助け、命を受けて校務をつかさどる」（学校教育法第37条第５項）とある通り、校長から任された校務を**自らの権限で処理することができる**。

3　×「校務全般を整理する」が誤り。正しくは「**校務の一部を整理**」する（学校教育法第37条第９項）。

4　×「教諭を監督できる立場にある」が誤り。指導教諭には教諭その他の職員を**監督する権限はない**。「指導教諭は、児童の教育をつかさどり、並びに教諭その他の職員に対して、教育指導の改善及び充実のために必要な指導及び助言を行う。」（学校教育法第37条第10項）。

5　×「栄養教諭を充てることができる」が誤り。保健主事は、指導教諭、教諭又は養護教諭を充てることとされており、**栄養教諭を充てることができない**（学校教育法施行規則第45条第３項）。

正解 1

ワンポイントアドバイス

教職員の職務の「職務規定」は学校教育法や同法の施行規定などに定められています。教員や職員の種類・配置と併せて整理しておきましょう。

問題4 教員や職員に関する法規④

次の各文のうち、A～Dの各教諭の行為について、不適切なもののみをすべて挙げているものはどれか。1～5から一つ選びなさい。

ア　A教諭は、勤務終了後、同僚のE教諭と飲酒をするために居酒屋に行くことになった。A教諭は飲酒後、乗ってきた自転車に乗って、家まで帰った。
イ　B教諭は、休日に家族と自家用車で旅行に出かけた。ホテルに到着した際に、ロビーに近い第1駐車場が混雑していたため、仕方なくホテルから国道を挟んで向い側の第2駐車場に駐車した。B教諭は、夕食時にワインをグラスで3杯飲んだ。夕食後、B教諭は、第1駐車場の駐車スペースが空いていることに気付いたため、自家用車を運転して国道を通り、第1駐車場に自家用車を移動させた。
ウ　C教諭は、就寝前に飲酒をしていたが、飲酒後1時間経過しており、睡眠もとり、十分に運転できる自覚があったので、家族を迎えにいくため自家用車を運転して駅に向かった。
エ　D教諭は、休日に知人のFさんとレストランで食事をすることになった。D教諭はFさんに自宅まで迎えに来てもらい、Fさんが運転する自動車で一緒にレストランに向かった。食事の際に、Fさんが日本酒を注文しようとしたため、D教諭は強く止めた。しかし、Fさんがどうしても飲酒がしたいと言ったため、D教諭は、Fさんに自動車運転代行業者を利用して帰るということを約束させ、二人で飲酒した。食事が終わってから、Fさんが約束どおり帰るところを確認して、D教諭はタクシーで帰宅した。

1　ア　ウ
2　イ　エ
3　ア　イ　ウ
4　イ　ウ　エ
5　ア　イ　ウ　エ

学習日　／　／　／

解答解説

ア　×　道路交通法第65条第１項では「何人も、酒気を帯びて車両等を運転してはならない」と規定している。**「車両等」には自転車が含まれる**ので、飲酒して自転車を走行させたＡ教諭の行為は不適切である。

イ　×　**飲酒後、わずかな距離であっても**、国道を自動車で走行したＢ教諭の行為は**道路交通法違反になる**のでＢ教諭の行為は不適切である。

ウ　×　政府広報には「睡眠によってアルコールの分解が促進されることはない。一般的な中ジョッキサイズのビール（約500ml）には純アルコールが20グラム程度含まれており、このアルコール量を分解処理するのに約５時間も要する」とある。Ｃ教諭が運転したのは**飲酒後１時間しか経過していない**ので、車の運転は不適切である。

エ　○　Ｄ教諭の一連の行為は適切である。警察庁は「飲酒運転を絶対にしない、させない」と広報している。Ｄ教諭が車の運転をしているＦさんの**飲酒を止めた行為**は適切である。その後Ｆさんは自家用車を代行運転業者に運転させて、自身はタクシーで帰宅しており、Ｄ教諭はそれを確認している。

正解　3

ワンポイントアドバイス

教職員の服務規定は、教育公務員としての勤務についての規律であり、義務と行為の制限について定めています。「職務上の義務」は、教職員が担う一定の職務と、これを遂行する上での義務のことで、勤務時間内の行為や行動についての規定です。一方で教育公務員には「身分上の義務」があります。これは公務員であることによって勤務時間内かどうかは問わずに負う義務です。公務員としての服務の根本基準は「地方公務員法」に依るので確認しておきましょう。

問題5 教員や職員に関する法規⑤

公立の小学校、中学校、高等学校及び特別支援学校の教職員の任用に関する記述として、法令に照らして適切なものを１～５から一つ選びなさい。

1　拘禁刑に処せられた者は教員となることはできないが、その刑の執行を猶予された者は、その猶予の期間内に教員となることができる。

2　公立学校の教諭として勤務していたが、当該地方公共団体において懲戒免職の処分を受けた者を、当該処分の日から二年を経過した時点で教諭として採用できる。

3　教員の採用は、競争試験によるものとし、その試験は、教員の任命権者である教育委員会の教育長が行う。

4　臨時的任用又は非常勤職員の任用の場合を除き、公務員の職務経験がない者の教諭への採用は全て条件付のものとし、一年間その職務を良好な成績で遂行したときに正式採用になる。

5　臨時又は非常勤の教職員についての区市町村別の学校の種類ごとの定数は、都道府県の条例で定める。

学習日 ／ ／ ／

解答解説

1　×「猶予の期間内に教員となることができる」が誤り。執行猶予中も「拘禁刑に処せられた者」なので**教員となることはできない**。ただし、「刑の全部の執行猶予の言渡しを取り消されることなくその猶予の期間を経過したときは、刑の言渡しは、効力を失う」（刑法第27条）ので、執行猶予期間が終了すれば教員となることができる。

2　×「教諭として採用できる」が誤り。公立学校の教員が**懲戒免職処分を受けた場合には、教員免許状は失効する**（教育職員免許法第10条第１項第２号）ので、教諭として採用できない。さらに免許失効の日から３年を経過しないと校長又は教員になることはできない（学校教育法第９条第２号）。

3　×「競争試験」が誤り。**教員の採用は「選考」による**（教育公務員特例法第11条）。競争試験は、誰をその職に就けるかを見極めるために、不特定多数の応募者の試験成績の結果によって選抜を行うもの。選考は、その職に就くために的確かどうか、人事委員会の担当者が能力や実績、意欲などを確認して選ぶ方法。

4　○　肢文の通り、正しい。教育公務員特例法第12条第１項、地方公務員法第22条による。

5　×「臨時又は非常勤の教職員について……都道府県の条例で定める」が誤り。区市町村の学校の種類ごとの定数について定めがあるのは「公立学校の職員等」であり、「**臨時又は非常勤の職員については、この限りではない**」とされている（地方教育行政の組織及び運営に関する法律第31条第３項）。

正解　4

ワンポイントアドバイス

教員免許更新制のこれまでの制度の内容と廃止の背景、今後の動きについて確認しておきましょう。

問題6 教員や教職員の服務①

次のア～オの中から、「地方公務員法」(平成26年6月一部改正) の条文として正しいものを三つ選ぶとき、その組合せはどれか。解答群から一つ選びなさい。

ア　すべて職員は、全体の奉仕者として公共の利益のために勤務し、且つ、職務の遂行に当つては、全力を挙げてこれに専念しなければならない。
イ　職員は、社会生活上知り得た秘密を漏らしてはならない。但し、その職を退いた後は、この限りでない。
ウ　職員は、法律又は条例に特別の定がある場合を除く外、その勤務時間及び職務上の注意力のすべてをその職責遂行のために用い、当該地方公共団体がなすべき責を有する職務にのみ従事しなければならない。
エ　職員には、その勤務能率の発揮及び増進のために、研修を受ける機会が与えられなければならない。
オ　首長は、職員の執務について不定期に勤務成績の評定を行い、その評定の結果に応じた措置を講じなければならない。

【解答群】 1　ア、イ、ウ　2　ア、イ、エ　3　ア、イ、オ　4　ア、ウ、エ
5　ア、ウ、オ　6　ア、エ、オ　7　イ、ウ、エ　8　イ、ウ、オ
9　イ、エ、オ　0　ウ、エ、オ

学習日　／　／　／

解答解説

ア　○　肢文の通り、正しい。地方公務員法第30条による。

イ　×　「社会生活上」が誤り。正しくは「**職務上**」**知り得た秘密を漏らしてはならない**。「その職を退いた後は、この限りでない」も誤り。正しくは「**その職を退いた後も、また、同様とする。**」である（同法第34条第１項）。

ウ　○　肢文の通り、正しい。同法第35条による。

エ　○　肢文の通り、正しい。同法第39条第１項による。

オ　×　「不定期に」が誤り。職員の執務について、その任命権者は、**定期的に人事評価を行わなければならない**（同法第23条の２第１項）。

正解 4

ワンポイントアドバイス

地方公務員法の中で「服務」に関する条項は８つですが、必ず出題されます。「教育公務員はどのような立場と態度で仕事を行うべきか？」を基本にして仕事のルールを読み解きましょう。

問題7 教員や教職員の服務②

公立学校の教員の服務に関する記述として、法令に照らして適切なものを1～5から一つ選びなさい。

1. 教員は、その職務を遂行するに当たって、上司の職務上の命令に忠実に従わなければならないが、その命令は文書、口頭いずれの方法でも有効である。
2. 教員は、他の事業若しくは事務に従事することが本務の遂行に支障がない場合、任命権者の許可がなくても、教育に関する事業若しくは事務であれば従事することができる。
3. 教員は、職務上知り得た秘密を漏らしてはならないが、その職を退いた後であれば、この限りではない。
4. 教員は、当該教員の属する地方公共団体の区域外であれば、政党その他の政治的団体の構成員となるように、勧誘運動をすることができる。
5. 教員は、その職の信用を傷付け、又は職員の職全体の不名誉となるような行為をしてはならないが、勤務時間外の行為はこれに該当しない。

学習日 ／ ／ ／

解答解説

1　○　肢文の通り、正しい（地方公務員法第32条）。

2　×「任命権者の許可がなくても」が誤り。教育公務員が他の職を兼ね、従事するためには、**任命権者の許可が必要**である（教育公務員特例法第17条第１項）。

3　×「その職を退いた後であれば、この限りではない。」が誤り。教員は、**退職後も「職務上知り得た秘密」を漏らしてはならない**（地方公務員法第34条第１項）。

4　×「区域外であれば」が誤り。公立学校の教育公務員の政治的活動は、「国家公務員の例による」（教育公務員特例法第18条第１項）とあり、**所属地方公共団体の区域以外での政治的行動も禁止されている**（国家公務員法第102条）。

5　×「勤務時間外の行為はこれに該当しない。」が誤り。教員は**勤務時間以外であっても、信用を失墜するような行為をしてはならない**。地方公務員法第33条では、公務員は職務の内外を問わず「信用失墜行為の禁止」を定めている。

正解 1

ワンポイントアドバイス

教員や教職員が守らなければならない「服務」の多くは、地方公務員法の適用を受けています。教員の服務事故で多発しているものに注目すると、内容を理解しやすいでしょう。

問題8 教員や教職員の服務③

公立学校の教育公務員の服務に関する記述として、法令に照らして適切なものを1～5から一つ選びなさい。

1．　教育公務員は、その職の信用を傷つけ、又は職員の職全体の不名誉となるような行為をしてはならない。
2．　教育公務員は、法令による証人、鑑定人等となる場合においては、退職後であれば、任命権者の許可を受けることなく、職務上の秘密に属する事項を発表することができる。
3．　教育公務員は、政党その他の政治的団体の結成に関与することはできるが、これらの団体の役員になることはできない。
4．　教育公務員は、当該教育公務員の属する地方公共団体の区域外であれば、公の選挙又は投票において投票をするように、又はしないように勧誘運動をすることができる。
5．　常勤の教育公務員は、勤務時間外であれば、任命権者の許可を受けることなく、営利を目的とする私企業を営み、又は報酬を得て事業若しくは事務に従事することができる。

学習日　／　／　／

解答解説

1 ○ 肢文の通り、正しい。地方公務員法第33条の**信用失墜行為の禁止**について述べた文。

2 × 「任命権者の許可を受けることなく」が誤り。退職した教育公務員が法令による証人、鑑定人等となる場合、**その退職した職又はこれに相当する職に係る任命権者の許可を受けなければならない**（地方公務員法第34条第２項）。

3 × 「政党その他の政治的団体の結成に関与することはできる」が誤り。地方公務員は**政治的団体の結成に関与**したり、団体の役員となることは**禁止**されている（地方公務員法第36条第１項）。

4 × 「勧誘運動をすることができる」が誤り。地方公務員法第36条第２項では、職員の属する地方公共団体の区域外における公の選挙活動などが認められているが、**教員については認められていない**。なぜなら教員の選挙活動は、選挙活動を禁止した国家公務員法第102条に依ることが定められているからである。

5 × 「任命権者の許可を受けることなく」が誤り。**教育公務員が兼業をするときは、任命権者の許可が必要となる**（地方公務員法第38条第１項、教育公務員特例法第17条第１項）。

正解 1

ワンポイントアドバイス

教員は教育公務員である前に地方公務員です。服務規定は地方公務員法の適用を受けることに注意しましょう。

問題9 教員や教職員の服務④

公立学校の教員の服務に関する記述として、法令に照らして適切なものを１～５から一つ選びなさい。

1　教員は、上司からの職務上の命令には忠実に従わなければならないが、その命令は文書により発せられたものでなければ効力をもたない。
2　教員は、職務上知り得た秘密を漏らすことは、在職中は刑罰及び懲戒処分の対象となり得るが、退職後であれば刑罰及び懲戒処分の対象とはならない。
3　教員は、学習指導に関連する専門書を出版社等から報酬を得て執筆する場合、本務の遂行に支障がなければ、任命権者の許可を必要としない。
4　教員は、公の選挙において特定の候補者への投票を勧誘する活動を行うことは、所属する地方公共団体の区域外ならば認められる。
5　教員は、服務の宣誓を必ず行うとともに、職務の遂行に当たっては全力を挙げてこれに専念しなければならない。

学習日　／　／　／

解答解説

1　×　「命令は文書により発せられたものでなければ効力をもたない」が誤り。

地方公務員法第32条の「法令等及び上司の職務上の命令に従う義務」では、**「文書による命令でなければならない」という規定はない**ので、口頭による命令も含まれる。

2　×　「退職後であれば刑罰及び懲戒処分の対象とはならない」が誤り。

地方公務員法第34条第１項では、「**その職を退いた後も、また、同様とする**」とある。

3　×　「任命権者の許可を必要としない」が誤り。

たとえ学習指導に関連する専門書であっても、本務の遂行に支障がない場合でも、「**任命権者において認める場合には**」（教育公務員特例法第17条第１項）**という条件付きでその仕事をすることができる**。

4　×　「所属する地方公共団体の区域外ならば認められる」が誤り。教育公務員は教育基本法等における、**教育の政治的中立の原則**に基づいて、選挙活動や政治的活動をすることは禁止されており、その**制限の地域的範囲は**勤務地域の内外を問わずに**全国に及ぶ**ものである。

文部科学省は、2021年の衆議院議員の総選挙を前に、教職員は地方公務員法や教育公務員特例法、公職選挙法等に留意して服務規定をしっかりと確保し、選挙運動等をしてはならないと教育委員会教育長らに通知して周知徹底した。

5　○　肢文の通り、正しい（地方公務員法第30条、第31条）。

正解　5

ワンポイントアドバイス

教育公務員の服務に関する規定には、地方公務員の規定に加えて教育公務員ならではの特例があります。政治的行為の制限や兼職及び他の事業等への従事に関する規定はしっかりと確認しておきましょう。

問題10 教員や教職員の服務⑤

地方公務員法第三十八条では、一般職に属する地方公務員の営利企業等の従事制限が規定されている。次の各文のうち、A～Dの各教諭の行為について、営利企業等の従事制限に抵触するもののみをすべて挙げているものはどれか。1～5から一つ選びなさい。ただし、ア～エのいずれの事例も任命権者（地方教育行政の組織及び運営に関する法律第四十七条により読み替える場合は市町村教育委員会）の許可は受けていないものとする。

ア　A教諭は、自分がテレビゲームをしている様子を自ら撮影し、動画サイトに投稿していた。その動画が話題となり、広告収入として、毎月10万円程度を得ていた。

イ　B教諭は、毎日、学校勤務が終わってから深夜まで、妻が経営しているコンビニエンスストアの手伝いをしていた。その際、B教諭は、妻から毎回1万円の報酬を得ていた。

ウ　C教諭は、バイオリンの演奏を趣味としていた。2年前から自宅近くの公民館で開催されているバイオリンの演奏会に奏者として3か月に1回招かれ、謝金として毎回5万円を受け取っていた。

エ　D教諭は、考古学に関心があり、業務に影響のない休日に、友人が主催する考古学の研究会に一度だけ講師として招かれた。その際、D教諭は、謝金は一切受け取らなかったが、実費相当の交通費は受け取った。

1　ア　ウ
2　イ　エ
3　ア　イ　ウ
4　ア　ウ　エ
5　イ　ウ　エ

学習日 ／ ／ ／

解答解説

ア　×　「広告収入として、毎月10万円程度を得ていた」が適切ではない。地方公務員は営利企業等の従事が制限されており、**広告収入を得る活動をするならば任命権者の許可が必要**である。

イ　×　「妻から毎回１万円の報酬を得ていた」が適切ではない。**報酬を得る仕事をするならば任命権者の許可が必要**である。また、もしもコンビニエンスストアが妻との共同経営であるならば、営利を目的とする私企業等の役員となることを禁じた公務員の服務規定に抵触する。

ウ　×　「謝金として毎回５万円を受け取っていた」のは、**地方公務員法で禁じている副業**にあたる。また、任命権者の許可を受けていないので適切ではない。

エ　○　D教諭の行為は地方公務員として適切である。

正解 3

ワンポイントアドバイス

公務員の場合は、副業収入は諸経費以下もしくは無報酬でなければ活動できません。一般企業や地方自治体では副業を許可する動きがありますが、教育公務員の副業には任命権者の許可を得ること、教師としての信用が損なわれない・職務に支障がない範囲であることなどの厳しい規定があるので、混同しないようにしましょう。

問題11 教員や教職員の服務⑥

地方公務員法第三十八条では、一般職に属する地方公務員の営利企業への従事等の制限が規定されている。次の各文のうち、A～Dの各教諭の行為について、営利企業への従事等の制限に抵触するもののみをすべて挙げているものはどれか。1～5から一つ選びなさい。ただし、ア～エのいずれの事例も任命権者（地方教育行政の組織及び運営に関する法律第四十七条により読み替える場合は市町村教育委員会）の許可は受けていないものとする。

ア　A教諭は、飲食店を経営する友人から、休日は来客が多く忙しいので店を手伝って欲しいと依頼を受けた。A教諭は、友人がかなり困っている様子だったので、勤務を要しない休日の午前11時から午後5時まで友人の店で接客や配達を定期的に行った。経営者である友人は、報酬として1日につき1万円を支払い、A教諭はそれを毎回受け取っていた。

イ　B教諭は、ガラス工芸を趣味としており、自身の作品をインターネット上のフリーマーケットに継続的に出品している。B教諭が作成したガラス工芸品は細かな装飾が施されているため、人気が高く、毎月10万円程度の収入がある。

ウ　C教諭は、兄が経営する工務店が数年前に株式会社になった際に、兄からその会社の役員になってほしいと依頼を受けたので、無報酬であることを条件に役員として登記されることを了承した。役員になってからこれまでの間、C教諭は報酬を受け取っていない。

エ　D教諭は、長年サッカー部の顧問として指導をしており、審判員の資格を持っている。勤務を要しないある休日、D教諭は地域の団体の依頼により、サッカーの試合の審判を引き受けた。D教諭は審判を引き受けるにあたって、主催者からの報酬は受け取らなかったが実費相当の交通費は受け取った。

1　ア　ウ
2　ア　エ
3　ア　イ　ウ
4　ア　イ　エ
5　イ　ウ　エ

学習日 ／ ／ ／

解答解説

ア　×　飲食店を手伝い、1日につき1万円を受け取る行為は、営利企業への従事等の制限に抵触する。

イ　×　趣味のガラス工芸品をフリーマーケットに出品して定期的な収入を得ることは、営利企業を営んでいるものとみなされる。

ウ　×　無報酬であっても、株式会社の役員になることは営利企業への従事等の制限に抵触する。

エ　○　実費相当の交通費は報酬とは見なされないので、営利企業への従事等の制限に抵触しない。

正解 3

ワンポイントアドバイス

服務に関する問題は、どの地方自治体でも頻出しています。教育公務員の3つの「職務上の義務」と、5つの「身分上の義務」は必ずおさえておきましょう。

問題12 教員や教職員の服務⑦

公立学校の教員の服務に関する記述として、法令に照らして適切なものを１～５から一つ選びなさい。

1　教育公務員は、教育に関する専門職であることから、教育に関する他の職を兼ね、又は教育に関する他の事務に従事するに当たり、任命権者の許可は必要ない。

2　教育公務員が法令による証人、鑑定人等となり、職務上の秘密に属する事項を発表することについて、地方公共団体の長は、法律に特別の定がある場合を除く外、拒むことができない。

3　教育公務員は、所属する地方公共団体の区域外において地域政党の役員となることはできるが、当該地方公共団体の公の選挙において投票するよう勧誘運動をすることはできない。

4　教育公務員は、その職の信用を傷付けるような行為をしてはならず、それらの行為に該当する事項に関する具体的な処分量定は国の基準で定めるものとされている。

5　教育公務員は、地方公共団体の機関が代表する使用者の住民に対して同盟罷業、又は地方公共団体の機関の活動能率を低下させる怠業的行為をしてはならない。

学習日 ／ ／ ／

解答解説

1 × 「任命権者の許可は必要ない」が誤り。地方公務員法第38条第1項や教育公務員特例法第17条第1項に基づき、**任命権者が許可すれば**、他の職や業務について兼職兼業が**認められる**。逆に言うと教師が兼業の意思がない場合に、兼業を強要することはできない。例えば本人が希望しないにもかかわらず、地域の部活動などの業務に従事させることは決してあってはならないと、文部科学省から任命権者である教育委員会に通知している。

2 × 「地方公共団体の長」が誤り。正しくは**任命権者**である（地方公務員法第34条第2項）。教育公務員の任命権者は、地方公共団体の長ではなく教育委員会である。

3 × 「地域政党の役員となることはできる」が誤り。**地方公務員が政治的な団体の役員になることは禁止されている**（地方公務員法第36条第1項）。この禁止は所属する地方公共団体の**区域外においても同様**である。

4 × 「処分量定は国の基準で定めるもの」が誤り。地方公務員法第33条で信用失墜行為の禁止が規定されており、同法第29条で処分量定は条例で定めるものとされている。

5 ○ 肢文の通り、正しい（地方公務員法第37条第1項）。

正解 5

ワンポイントアドバイス

教職員が非違行為を行った場合には行政処分を受けます。2022年4月に施行した法律「教育職員等による児童生徒性暴力等の防止等に関する法律」は、いわゆるわいせつ行為を行った教職員に対応するものです。児童生徒の尊厳を守るための新しい法律なのでチェックしておきましょう。

問題13 教員や教職員の服務⑧

地方公務員法の定める職員の服務に関する次の記述ア～オのうち、正しいものを選んだ組合せとして適切なものを１～５から一つ選びなさい。

ア　全て職員は、全体の奉仕者として公共の利益のために勤務し、かつ、職務の遂行に当たっては、全力を挙げてこれに専念しなければならない。
イ　職員は、任命権者の許可を受けなければ、自ら営利企業を営み、又は報酬を得ていかなる事業若しくは事務にも従事してはならないが、勤務時間外は任命権者の許可を受けなくてもよい。
ウ　職員は、その職務を遂行するに当たって、法令等に従い、重大かつ明白な瑕疵を有するときでも上司の職務上の命令に忠実に従わなければならない。
エ　法令による証人、鑑定人等となり、職務上の秘密に属する事項を発表する場合においては、任命権者の許可は不要である。
オ　職員は、その職の信用を傷付け、又は職員の職全体の不名誉となるような行為をしてはならない。

1　ア・イ
2　ア・オ
3　イ・ウ
4　ウ・エ
5　エ・オ

学習日　／　／　／

解答解説

ア　○　肢文の通り、正しい。地方公務員法第30条による。

イ　×「勤務時間外は任命権者の許可を受けなくてもよい。」が誤り。「自ら営利企業を営み、又は報酬を得ていかなる事業若しくは事務にも従事してはならない」とは、**公務員の「身分上の義務」であるため、勤務時間以外でも許可を得なければならない**。地方公務員法第38条第１項による。

ウ　×「重大かつ明白な瑕疵を有するときでも上司の職務上の命令に忠実に従わなければならない」が誤り。重大かつ明白な瑕疵とは、法律違反や倫理に反する不当なことである。つまり、**上司に違法なこと（重大な瑕疵を有すること）を命令されたら従ってはならない**。地方公務員法第32条によるが、重大かつ明白な瑕疵を有するときは、その命令に従わないことができることが判例で示されている。

エ　×「任命権者の許可は不要である」が誤り。地方公務員法第34条第２項には「**任命権者の許可を受けなければならない**」と示されている。

オ　○　肢文の通り、正しい。地方公務員法第33条による。

正解　2

ワンポイントアドバイス

公立学校の教員は、地方公務員法の規定に加えて、教育公務員特例法が優先的に適用されます。特例法には、地方公務員法より厳しくなるものと緩やかになるものがあるのでポイントをおさえておきましょう。

問題14 教員の研修①

教育公務員の研修に関する記述として、法令に照らして適切なものを１～５から一つ選びなさい。

1．　教育公務員には、研修を受ける機会が与えられなければならず、教員は、授業に支障のない夏季、冬季、春季休業日に限り、本属長の承認を受けて、勤務場所を離れて研修を行うことができる。
2．　公立の小学校等の教諭等の任命権者は、児童等に対する指導が不適切であると認定した教諭等に対して、その能力、適性等に応じて、当該指導の改善を図るために必要な事項に関する研修を実施しなければならない。
3．　公立の小学校等の教諭等の研修実施者は、教諭等に対して、その採用の日から６か月間、教諭等の職務の遂行に必要な事項に関する実践的な研修を実施しなければならず、臨時的に任用された者に対しては、その採用期間に応じて同様の研修を実施しなければならない。
4．　公立の小学校等の教諭等の指導助言者は、初任者研修を受ける者の所属する学校の副校長、教頭、主幹教諭、指導教諭又は教諭のうちから、指導教員を命じるものとするが、講師に指導教員を命じることはできない。
5．　県費負担教職員の研修については、区市町村教育委員会が実施しなければならないため、公立の小学校等の教諭等の任命権者である都道府県教育委員会が県費負担教職員の研修を行うことはない。

学習日 ／ ／ ／

解答解説

1　×「夏季、冬季、春季休業日に限り」が誤り。教育公務員が研修を行うことができるのは、夏季・冬季、春季休業日とは限らない。「**教員は、授業に支障のない限り、本属長の承認を受けて、勤務場所を離れて研修を行うことができる。**」（教育公務員特例法第22条第２項）。

2　○　肢文の通り、正しい。教育公務員特例法第25条の規定である。

3　×「６か月間」が誤り。採用された教諭等の研修は、採用の日から**１年間**である（教育公務員特例法第23条第１項）。

4　×「講師に指導教員を命じることはできない」が誤り。公立の小学校においては、**講師も初任者研修を行うことができる。**「任命権者は、初任者研修を受ける者の所属する学校の副校長、教頭、主幹教諭（養護又は栄養の指導及び管理をつかさどる主幹教諭を除く。）、指導教諭、教諭、主幹保育教諭、指導保育教諭、保育教諭または**講師のうちから、指導教員を命じるものとする。**」（教育公務員特例法第23条第２項）。

5　×「都道府県教育委員会が県費負担教職員の研修を行うことはない」が誤り。県費負担教職員とは、区市町村立の小学校、中学校、義務教育学校、中等教育学校の前期課程、特別支援学校の教職員を指す。なぜなら当該職員の給与が都道府県から支払われているからである。そこで**研修の主体となるのも都道府県教育委員会**である（地方教育行政の組織及び運営に関する法律第37条）。

正解　2

ワンポイントアドバイス

教員には絶えず研修が求められます。研修の種類も多彩なので、その種類や研修を行う主体が誰なのかについてもおさえておきましょう。

問題15 教員の研修②

公立学校の教員の任用及び研修等に関する記述として、法令に照らして適切なものを１～５から一つ選びなさい。

1　区市町村立の小学校、中学校、義務教育学校、中等教育学校の前期課程及び特別支援学校の全ての教諭の任命権は、当該区市町村教育委員会に属する。

2　公務員として採用された当初に小学校の教諭となった場合、この採用は条件付のものであり、一年間その職務を良好な成績で遂行したときに正式採用になる。

3　臨時的に任用された小学校の教諭、会計年度任用の中学校の教諭は、教員としての専門知識を習得させる必要があることから、初任者研修の対象となる。

4　高等学校の教諭は、定数の改廃又は予算の減少により廃職又は過員を生じた場合でも、法令違反や職務上の義務違反等の行為がなければ、免職の処分を受ける対象とはならない。

5　臨時的に任用された特別支援学校の教諭は、児童・生徒に対する指導が不適切であると認定された場合、指導改善研修の対象になる。

学習日　／　／　／

解答解説

1　×「任命権は、当該区市町村教育委員会に属する」が誤り。地方公務員である教員の任命権者は**各都道府県教育委員会又は指定都市教育委員会**である。

2　○　肢文の通り、正しい（地方公務員法第22条、教育公務員特例法第12条第1項）。

3　×「初任者研修の対象となる」が誤り。臨時的に任用された者、会計年度任用職員は初任者研修の対象とはならない（教育公務員特例法施行令第３条第１号、第４号）。

4　×「免職の処分を受ける対象とはならない」が誤り。「職制若しくは定数の改廃又は予算の減少により廃職又は過員を生じた場合」という状況下では、地方公共団体は職員の意に反して**降任・免職できる**（地方公務員法第28条第１項）。

5　×「臨時的に任用された」が誤り。**条件付採用期間中の者と臨時的任用の者は、指導改善研修の対象から除外されている**（教育公務員特例法施行令第５条）。

正解 2

ワンポイントアドバイス

教育公務員の研修について、研修を指導する者は誰なのか、どこで研修を行うことができるのか（職務専念義務の免除）、研修を免除されるのはどのような場合なのかなど、聞きなれない言葉や細かい規定があるのでていねいに確認しておきましょう。

問題16 教員の研修③

教育公務員の研修に関する記述として、教育公務員特例法に照らして適切なものを１～５から一つ選びなさい。

1．　校長は、教員の研修について、それに要する施設、研修を奨励するための方途その他研修に関する計画を樹立し、その実施に努めなければならない。
2．　教員は、授業に支障がなければ、本属長の承認を受けずに、勤務場所を離れて研修を行うことができる。
3．　教育公務員は、任命権者の定めるところにより、現職のままで、長期にわたる研修を受けることができる。
4．　指導助言者は、初任者研修を受ける者の所属する学校の管理職を除く、主幹教諭、指導教諭、主任教諭、教諭、講師のうちから、初任者研修の指導教員を命じるものとする。
5．　指導助言者は、中堅教諭等資質向上研修を実施するに当たり、小学校、中学校、高等学校、特別支援学校等のそれぞれの校種に応じた計画書を作成し、実施しなければならない。

学習日　／　／　／

解答解説

1　×　「校長は」が誤り。正しくは「**教育公務員の研修実施者**」である。教育公務員特例法第21条第２項による。

2　×　「本属長の承認を受けずに」が誤り。教育公務員特例法第22条第２項には「教員は、授業に支障のない限り、**本属長の承認を受けて**、勤務場所を離れて研修を行うことができる」と定められている。

3　○　肢文の通り、正しい。教育公務員特例法第22条第３項による。

4　×　「初任者研修を受ける者の所属する学校の管理職を除く」が誤り。初任者研修を受ける者の所属する学校の副校長、教頭、すなわち**管理職も、初任者研修の指導教員になることができる**。教育公務員特例法第23条第２項による。

5　×　「それぞれの校種に応じた計画書を作成」が誤り。**計画書は研修を受ける者の能力、適正等に基づいて評価を行い、その結果に基づいて作成する必要がある**。教育公務員特例法第24条第２項による。

正解 3

ワンポイントアドバイス

教育公務員の法定研修には、初任者研修、中堅教諭等資質向上研修、指導改善研修があります。それぞれ指導教員や研修の期間などが違うので、整理しておきましょう。

問題17 教育行政①

地方教育行政の組織及び運営に関する法律に関する記述として適切なものを1～5から一つ選びなさい。

1. 地方公共団体の長は、教育委員会に対し、その地域の実情に応じ、当該地方公共団体の教育、学術及び文化の振興に関する総合的な施策の大綱を定めるよう指示することができる。
2. 総合教育会議は、地方公共団体の長及び教育委員会をもって構成し、地方公共団体の長が招集する。
3. 教育委員会の委員は、地方公共団体の長が、議会の同意を得て、任命する。また、教育委員会は、委員のうちから、教育長を選出しなければならない。
4. 教育長の任期は三年とし、委員の任期は、四年とする。また、教育長及び委員は、再任されることができない。
5. 教育委員会が管理し、及び執行する教育に関する事務には、教育委員会の所管に属する学校その他の教育機関の用に供する財産を取得し、及び処分することが含まれている。

学習日 ／ ／ ／

解答解説

1　×「地方公共団体の長は、教育委員会に対し……大綱を定めるよう指示することができる。」が誤り。**大綱を定める主体となるのは地方公共団体の長である。**地方教育行政の組織及び運営に関する法律第１条の３第１項による。

2　○　肢文の通り、正しい。地方教育行政の組織及び運営に関する法律第１条の４による。

3　×「教育委員会は、委員のうちから、教育長を選出しなければならない」が誤り。**教育長・教育委員のどちらも、地方公共団体の長が議会の同意を得て任命する。**地方教育行政の組織及び運営に関する法律第４条第１項、第２項による。

4　×「教育長及び委員は、再任されることができない」が誤り。**教育長及び委員は再任されることができる。**地方教育行政の組織及び運営に関する法律第５条による。

5　×「事務には、……財産を取得し、及び処分することが含まれている」が誤り。**教育財産の取得・処分は、「教育委員会」ではなく「地方公共団体の長」が行う。**地方教育行政の組織及び運営に関する法律第22条による。

正解 2

ワンポイントアドバイス

教育行政の基本原則となるのは、教育基本法第16条です。文部科学省の任務は教育行政事務だけでなく、スポーツ及び文化に関すること、宗教に関する行政事務も含まれます。中央教育審議会の仕組みや、教育委員会との関係も理解しておきましょう。

問題18 教育行政②

地方教育行政に関する次の記述ア～エのうち、法令に照らして正しいものを選んだ組合せとして適切なものを１～５から一つ選びなさい。

ア　教育長の任期は４年とし、委員の任期は３年とする。ただし、補欠の教育長又は委員の任期は、前任者の残任期間とする。
イ　教育委員会は、法令又は条例に違反しない限りにおいて、その権限に属する事務に関し、教育委員会規則を制定することができる。
ウ　地方公共団体の長は、その権限に属する教育に関する事務について協議する必要があると思料するときは、教育長に対し、協議すべき具体的事項を示して、総合教育会議の招集を求めなければならない。
エ　教育委員会は、当該地方公共団体が処理する教育に関する事務で、教科書その他の教材の取扱いに関することを管理し、及び執行する。

1　ア・ウ
2　ア・エ
3　イ・ウ
4　イ・エ
5　ウ・エ

学習日 ／ ／ ／

解答解説

ア　×　「教育長の任期は４年」「委員の任期は３年」が誤り。**教育長の任期は３年、委員の任期は４年**である（地方教育行政の組織及び運営に関する法律第５条第１項）。

イ　○　肢文の通り、正しい（地方教育行政の組織及び運営に関する法律第15条第１項）。

ウ　×　「地方公共団体の長は……求めなければならない」が誤り。総合教育会議の招集を求めることができるのは**教育委員会**であり、その求める相手が地方公共団体の長である。また、「**求めることができる**」のであり、「求めなければならない」のではない（地方教育行政の組織及び運営に関する法律第１条の４第４項）。

エ　○　肢文の通り、正しい（地方教育行政の組織及び運営に関する法律第21条）。

正解 4

ワンポイントアドバイス

教育行政の基本原則については、教育基本法第16条を丁寧に読み込んでおきましょう。また、政府が作成する「教育振興基本計画」を踏まえて、各地方公共団体も計画を策定しています。国や地方が抱える問題や、教育の方針がまとめられているので、地方公共団体と政府、それぞれが発表している計画は必ず読んでおきましょう。

問題19 教育行政③

地方教育行政に関する次の記述ア～エのうち、法令に照らして正しいものを選んだ組合せとして適切なものを１～５から一つ選びなさい。

ア　地方公共団体の長には、当該地方公共団体の教育、学術及び文化の振興に関する総合的な施策の大綱を定めるとともに、教育委員会の所管に属する学校その他の教育機関の設置、管理及び廃止に関する事務を管理し、及び執行する権限が与えられている。

イ　教育委員会は、その権限に属する事務に関して協議する必要があると思料するときは、地方公共団体の長に対し、協議すべき具体的事項を示して、総合教育会議の招集を求めることができる。

ウ　地方公共団体の長は、教育委員会の委員の任命に当たっては、委員の年齢、性別、職業等に著しい偏りが生じないように配慮するとともに、公平性の観点から、委員のうちに保護者である者が含まれないようにしなければならない。

エ　教育委員会は、教育委員会規則で定めるところにより、その所管に属する学校ごとに、当該学校の運営及び当該運営への必要な支援に関して協議する機関として、学校運営協議会を置くように努めなければならない。

1　ア・イ
2　ア・ウ
3　イ・ウ
4　イ・エ
5　ウ・エ

学習日　／　／　／

解答解説

ア　×　地方公共団体の長に与えられた「管理し、及び執行する権限」が誤り。地方教育行政の組織及び運営に関する法律第１条の３第１項において、肢文にあるような総合的な施策の「大綱を定めるものとする。」とした上で、同条第４項で「第１項の規定は、地方公共団体の長に対し、第21条に規定する事務を管理し、又は執行する**権限を与えるものと解釈してはならない。**」としている。

イ　○　肢文の通り、正しい（地方教育行政の組織及び運営に関する法律第１条の４第４項）。

ウ　×「保護者である者が含まれないようにしなければならない」が誤り。教育委員会の委員を任命するときには、委員のうちに「**保護者である者が含まれるようにしなければならない。**」（地方教育行政の組織及び運営に関する法律第４条第５項）。

エ　○　肢文の通り、正しい（地方教育行政の組織及び運営に関する法律第47条の５第１項）。

正解　4

教育法規③

教育行政③

ワンポイントアドバイス

教育委員会制度に関する出題は、教育委員会の組織や委員の任命に関する内容が中心になります。一般的に「教育委員会」として認識されているのは教育委員会の「事務局」なので、「教育委員会」と区別して認識しておきましょう。

問題1 心理学の歴史①

心理学の研究に携わった人物と、それらの人物が携わった研究等の教育への影響に関する記述として適切なものを１～５から一つ選びなさい。

1　ヴントは、ライプチヒ大学の哲学部に心理学研究室を開設し、内観心理学に哲学的手法を取り入れた実験心理学を興した。彼の提唱した内観法は、日本の吉本伊信の内観療法に受け継がれ、教育においては自己を省察する効果的な方法として取り入れられている。

2　ロジャースは、「カウンセリングと心理療法」の中で顧客を意味するクライエントという語を用い、クライエント中心療法を唱えた。日本におけるカウンセリングの展開に大きな影響を与えたといわれ、教育の場においてもカウンセリングが取り入れられている。

3　デューイは、意識の力動的な見地を強調し、心的機能を解体して、構成心理学における心的要素を重要視しなければならないことを説き、構成主義心理学を提唱した。この主張の背景にあるプラグマティズムの思想は教育実践の場面へと適用された。

4　ウィトマーは、心理学は純粋な研究科学であるべきだと主張し、心理学に「臨床」という概念を導入することによって臨床心理学を提唱した。臨床心理学の精神測定法の開発によって知能検査などの実践研究の領域が進展し、教育界にも大きな影響を与えた。

5　パールズは、ヴェルトハイマーが創始したゲシュタルト心理学に触発され、過去の体験や生育歴の探索に重点を置いたゲシュタルト療法を創始した。ゲシュタルト療法は自発的な感情や自己への気付きを喚起する方法として、教育の場においても取り入れられている。

学習日 ／ ／ ／

解答解説

1　×　「内観法は、日本の吉本伊信の内観療法に受け継がれ」が誤り。**吉本伊信の内観療法はヴントから受け継がれたものではなく**、仏教の求道法「**身調べ**」をもとに確立した。

2　○　肢文の通り、正しい。

3　×　「構成主義心理学」が誤り。デューイが提唱したのは**機能主義心理学**である。構成主義心理学は、「意識とは何か、心とは何か」をいくつかの要素に分解し、その組み合わせで説明しようとする心理学。ヴントやティチナーが提唱して、デューイは機能主義心理学の発展に貢献した。

4　×　「臨床心理学の精神測定法の開発」が誤り。ウィトマーは、知的障害や学習障害を持つ児童生徒のために、**教育支援を行う心理クリニック**を創設した人物。

5　×　「過去の体験や生育歴の探索に重点を置いた」が誤り。ゲシュタルト療法は、過去ではなく、**今現在の気づき**に重点を置いている。

正解　2

ワンポイントアドバイス

心理療法は多彩で、独特の言葉を用いて説明されています。まずはその言葉に慣れて、開発者の名前や治療の目的、具体的な方法などを整理しておきましょう。

問題2 心理学の歴史②

次の文章は、ある心理学の内容に関するものである。この文章で説明している心理学として適切なものを１～５から一つ選びなさい。

「要素の総和から構成される全体としての心的現象」という要素主義の考え方を否定し、意識を全体的なものとして捉えた心理学である。1912年に、ヴェルトハイマーが仮現運動の研究を行い、この考えを科学的に実証した。

この概念は、知覚のみならず、記憶、思考、要求と行動、集団特性など、広く心的過程一般に適用された。

1　実験心理学
2　ゲシュタルト心理学
3　行動主義心理学
4　認知心理学
5　人間性心理学

学習日 ／ ／ ／

解答解説

1　×　**実験心理学**とは精神現象や学習行動など、人間の行動に影響を及ぼす心理的要因を実験によって探求する研究方法の一つである。他に人の行動をつぶさに観察する「観察法」や、アンケートを採るなどの「調査法」がある。

2　○　正しい。肢文はヴェルトハイマーが実証した**ゲシュタルト心理学**について説明している。

3　×　**行動主義心理学**はワトソンが提唱した心理学で、刺激と反応の結びつきを明らかにすることで、行動の予測が容易になると考えた。**意識よりも客観的に捉えられる行動**を研究対象としている。

4　×　**認知心理学**とは、知覚や記憶、理解、学習、問題解決、推論等の人間の認知機能を対象として、**心理的側面**を研究する心理学である。

5　×　**人間性心理学**とは、人間が健康に生き、成長するためには何が必要かに重点を置いて研究した心理学。代表的なものにマズローの「**自己実現理論**」がある。

正解 2

ワンポイントアドバイス

哲学をルーツとする心理学は、プラトンやアリストテレスといった古代ギリシアの哲学者とも深い関係があります。現代教育に必要な心理学を理解するためには、ヨーロッパの思想史の基礎をおさえておくといいでしょう。

問題3 心理学の歴史③

次の記述の空欄[ア]～[オ]に当てはまる人物名の組合せとして最も適切なものを1～5から一つ選びなさい。

[ア]は、発達の最近接領域に働きかけることによって、教育は子どもの発達を引き上げることができると考えた。

[イ]は、乳児期から老年期までのライフサイクルを8つの段階に区切り、各段階に心理・社会的危機を設定した。

[ウ]は、ピアジェの理論を基礎にしながら青年期以降の道徳性発達について検討し、3水準6段階からなる道徳性発達理論を提唱した。

発達課題という概念を最初に用いた[エ]は、次の発達段階にスムーズに移行するために、それぞれの発達段階で習得しておくべき課題があると考えた。

[オ]は、パーソナリティを構造的、力動的に捉え、精神分析学の立場から理論を提唱した。

1　ア　ヴィゴツキー　　イ　フロイト　　ウ　ハヴィガースト
　　エ　コールバーグ　　オ　エリクソン
2　ア　ハヴィガースト　イ　エリクソン　ウ　コールバーグ
　　エ　ヴィゴツキー　　オ　フロイト
3　ア　コールバーグ　　イ　エリクソン　ウ　ヴィゴツキー
　　エ　ハヴィガースト　オ　フロイト
4　ア　ヴィゴツキー　　イ　エリクソン　ウ　コールバーグ
　　エ　ハヴィガースト　オ　フロイト
5　ア　ハヴィガースト　イ　フロイト　　ウ　コールバーグ
　　エ　ヴィゴツキー　　オ　エリクソン

学習日　／　／　／

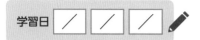

解答解説

ア　**発達の最近接領域**を提唱したのは**ヴィゴツキー**である。

イ　**ライフサイクル論**を提唱したのは**エリクソン**である。

ウ　**道徳性発達理論**を提唱したのは**コールバーグ**である。

エ　**発達課題**を提唱したのは**ハヴィガースト**である。

オ　**フロイト**によって提唱された**パーソナリティ理論**である。

正解 4

ワンポイントアドバイス

教育学において主要となる心理学は、ギリシア哲学に始まり、ヴントの構成主義心理学、ワトソンの行動主義心理学、ヴェルトハイマーのゲシュタルト心理学、フロイトの精神分析学、マズローの人間性心理学などがあります。各学説のポイントをおさえておきましょう。

問題4 心理学の歴史④

教育心理に関する人物とその人物の説明の組み合わせとして誤っているものを、次の1～4から一つ選びなさい。

	人　物	説　明
1	ヴィゴツキー	発達の最近接領域説を唱えたり、集団独語に関してピアジェと論争を行ったりした。
2	エビングハウス	エビングハウスの保持（忘却）曲線が有名である。記憶研究において無意味綴りを用いたり、多くの測定法を考案したりした。
3	ブルーム	完全習得学習の理論、それを支える教育目標の分類学、評価法（診断的・形成的・総括的評価）を提唱した。
4	ワトソン	モデリング（観察学習）や自己効力感の研究を推進した。子供による暴力的なテレビ番組の視聴が攻撃性を高めることを示した実験が有名である。

学習日　／　／　／

解答解説

1 ○ 肢文の通り、正しい。

2 ○ 肢文の通り、正しい。

3 ○ 肢文の通り、正しい。

4 × 人物「ワトソン」が誤り。他者の行動を観察することで学ぶ「モデリング理論」を提唱したのは**バンデューラ**である。「ボボ人形」を使った心理実験が有名。

ワトソンは観察可能な刺激と反応から、個体の行動を研究する「行動主義心理学」を提唱した。

正解 4

ワンポイントアドバイス

教育心理学が科学として扱われたのは、ドイツのヴントがライプチヒ大学に心理学の実験室を作ったことが始まりとされています。それ以前の心理学は哲学の一分野という位置づけです。ヴント以降、子どもの知能や学力についての研究が発展し、ソーンダイクが『教育心理学』を著す頃には、教育心理学が学問として確立されます。それぞれの時代にエポックメイキングとなる人物、論理、著書を整理しておきましょう。

問題5 心理学の歴史⑤

教育心理に関する人物とその人物の説明の組み合わせとして誤っているものを1～4の中から一つ選びなさい。

	人　物	説　明
1	スキナー	ロシアの生理学者で、唾液分泌の研究から条件反射現象を発見し、古典的条件づけの研究を発展させた。
2	ゲゼル	アメリカの心理学者で、双生児を用いた階段のぼりの実験を通じて、発達における成熟優位説を唱えた。
3	ソーンダイク	アメリカの心理学者で、ネコを用いた問題箱の試行錯誤実験から、練習の法則や効果の法則を見いだした。
4	ユング	スイスの精神分析学者で、人間の無意識を強調する理論を考え、外向性－内向性という性格の分け方を最初に体系化した。

学習日 ／ ／ ／

解答解説

1 × 人物「スキナー」が誤り。説明文の人物は**パブロフ**である。スキナーはアメリカの心理学者であり、**オペラント条件付けを体系化**した。

2 ○ 説明文と人物は一致している。

3 ○ 説明文と人物は一致している。

4 ○ 説明文と人物は一致している。

正解 1

ワンポイントアドバイス

心理学の歴史に登場する人物は、学習、発達、記憶など、それぞれに得意な研究分野があります。各実験や提唱した説とともに、どの時代の人物か紐付けておくと、提唱された説の背景も見えてきます。

問題6 学習①

心理学の研究に携わった人物に関する記述として適切なものを１～５から一つ選びなさい。

1．ハーローは、空腹のネコやイヌを問題箱の中に入れ、箱の外にえさを置いて誘惑しながら、動物が箱を開けて出てくるまでの時間を測定する研究などを行い、学習の試行錯誤説を唱えた。また、学習の原理として、効果の法則、練習の法則、準備の法則を挙げた。
2．ウェクスラーは、個人の知能を診断的に捉える、言語性検査と動作性検査とによって構成される知能検査を開発した。この検査は、後に改訂され、児童用の知能検査であるWISCや成人用の知能検査であるWAISなども作成された。
3．ソーンダイクは、自分自身を被験者として、記憶の測定に関する研究を行った。無意味綴りを用いた忘却リストの研究において、学習の直後に急激な忘却が起こるが、しばらくして漸近的に減少するという記憶保持の時間的変化を、保持曲線として示した。
4．エビングハウスは、自ら装置を考案し、その装置の中でてこ押しを学習するネズミの行動の研究を行うなど、環境条件が生物の行動を決定するという考えに基づくオペラント行動の研究を行った。また、この研究から得た原理を、ティーチングマシンによる教育に用いた。
5．スキナーは、アカゲザルを人間の愛情形成を考えるための有効な動物モデルと考え研究を行った。子ザルにとって母親はぬくもりを与えてくれる存在であり、そのような母親が愛着の対象であり、安全基地として機能することを、代理母親模型を用いた実験で明らかにした。

学習日 ／ ／ ／

解答解説

1　×　ハーローの研究は、**アカゲザルをヒトのモデルとして用いた代理母実験を行い**、母親が愛着の対象であり、安全基地として機能することを示した。つまり肢文５がハーローの研究である。

2　○　肢文の通り、正しい。

3　×　ソーンダイクは、仕掛けのある箱に猫や犬を入れて、動物の知能を調べようとした。いわゆる「**ソーンダイクの箱実験**」を行った。つまり肢文１がソーンダイクの研究である。

4　×　エビングハウスは心理学の領域で、**記憶に関する実験**を初めて行った人物。その方法は、意味を持たない音節のリストを作り、それを何度繰り返すと完全に暗唱できるようになるかなどを調べた。つまり肢文３がエビングハウスの研究である。

5　×　スキナーは自発的に行う行動、すなわち「**オペラント行動**」についての研究を行った。この研究はネズミが偶然ブザーを押すと餌が出てくる箱を用いて、ブザーが鳴った時にネズミがレバーを押す行動がどのくらい行われるかを測定するもの。つまり肢文４がスキナーの研究である。

正解　2

ワンポイントアドバイス

学習理論は採用試験でよく出題される分野です。さまざまな理論と提唱者、実験内容などを整理して押さえておきましょう。

問題7 学習②

学習に関する心理学の研究に携わった人物に関する記述として適切なものを１～５から一つ選びなさい。

1．ガスリーは、あるパターンの刺激と反応が時間的にも空間的にも一緒に生じるなら、それらの間の連合が成立することによって学習が起こると考え、行動主義理論の一つである、近接学習理論を説いた。
2．セリグマンは、他者の行動を観察して新しい行動を習得する観察学習に関する研究を行い、攻撃等の社会的行動の学習が、単なるモデルの観察による模倣によって容易に形成されることを見出した。
3．ケーラーは、迷路とネズミを用いた実験を行い、行動は決してランダムに開始されるのではなく、目標が達成されるまでは一貫してその目標に向かって方向付けられるという目的的行動主義を展開した。
4．トールマンは、チンパンジーを用いた実験を行い、手の届く範囲の外にある果物を取るために２本の棒を合体させたり、箱を積み重ねたりするなどの行動を観察し、動物の問題解決行動は、試行錯誤的になされるのではなく、洞察によって行われるという考え方を示した。
5．バンデューラは、イヌを用いた実験を行い、何度も問題解決に失敗し続けた個体は自分は状況を変える何の力もないことを学習する学習性無力感という概念を提案し、人間の抑うつの形成にも同様なメカニズムが働くことを指摘した。

学習日 ／ ／ ／

解答解説

1　○　肢文の通り、正しい。ガスリーの「**近接学習理論**」は、学習とは、刺激と反応とのただ一度の結合によって成立するので、学習を完成させるためには多数の結合、すなわち「練習」が必要だと説いた。

2　×　肢文5のバンデューラの実験に関する説明であり誤り。**セリグマン**は「ポジティブ心理学の父」とも言われる。犬や人間に対して「何をやっても無駄だ。意味がない」という**無力感を感じる環境において反応を見る実験**を行った。

3　×　肢文4のトールマンの実験に関する説明であり誤り。**ケーラーはチンパンジーによる実験**を行い、ヒトが困難な状況に直面したときに突然、解決手段を見出すことがあるのは、「洞察」によるものだと提唱した。

4　×　肢文3のケーラーの実験に関する説明であり誤り。**トールマン**は認知心理学の先駆けと言われる心理学者で、**ネズミの学習実験**を行い「すべての行動は常に目標に向かって生じる」という説を立てた。

5　×　肢文2のセリグマンの実験に関する説明文であり誤り。**バンデューラ**は「**社会的学習理論**」を提唱した。これは、人は他者の行動を観察してそれを模倣することで学習できるという説。「モデリング理論」とも言われる。

正解　1

ワンポイントアドバイス

学習理論に関してはまず、連合説と認知説の違いを理解し、各理論の提唱者や実験内容をおさえておきましょう。

問題8 学習③

次の(ア)〜(オ)の記述のうち適切ではないものの組合せを1〜5から一つ選びなさい。

(ア) パブロフは、条件刺激と無条件刺激を交互に繰り返すことにより、無条件刺激に対して起こしていた反応を条件刺激に対しても起こすようになるということを提唱した。これをオペラント条件づけという。
(イ) スキナーは、ある刺激に対して望ましい反応が生起したときに報酬を与えることによって、その反応の生起率を高めることを動物の実験によって説明した。
(ウ) トールマンは、学習目標とそれを達成するための手段とが存在するとき、学習の成立とは、目標と手段との機能的関係が頭の中に認知図としてできあがることであると考えた。これをサイン・ゲシュタルト説という。
(エ) ケーラーは、いくつかの道具を組み合わせなければバナナを取れない状況にした実験をチンパンジーに行い、問題解決に至る様子をみて、洞察説を提唱した。
(オ) ソーンダイクは、モデルを見てそれに類似した新たな反応を形成したり、既存の反応を修正したりすることをモデリング学習として提唱した。

1 (ア)と(イ)
2 (イ)と(ウ)
3 (ウ)と(エ)
4 (エ)と(オ)
5 (ア)と(オ)

学習日 ／ ／ ／

解答解説

ア　×　「オペラント条件づけ」が誤り。**パブロフの犬**の実験で得られた反応は「**レスポンデント条件づけ**」である。

イ　○　肢文の通り、正しい。

ウ　○　肢文の通り、正しい。

エ　○　肢文の通り、正しい。

オ　×　「ソーンダイクは」が誤り。人間は他者の行動を観察・模倣することによっても学習するという**モデリング理論**を提唱したのは**バンデューラ**である。

正解　5

ワンポイントアドバイス

学習と記憶は密接に結びついています。学習は「忘れないように覚えておこう」という努力の積み重ねでもあります。さまざまな理論がある「忘却」のメカニズムについてもおさえておきましょう。

問題9 学習④

学習の理論における認知説の記述として最も適切なものを１～５から一つ選びなさい。

1　学習を問題場面に関する認知構造の変化とみなした説であり、トールマンのサイン・ゲシュタルト説があげられる。
2　学習を刺激と反応の結合の成立とみなした説であり、ワトソンの行動主義があげられる。
3　学習を問題場面に関する認知構造の変化とみなした説であり、パヴロフの古典的条件付けがあげられる。
4　学習を刺激と反応の結合の成立とみなした説であり、ソーンダイクの結合主義があげられる。
5　学習を問題場面に関する認知構造の変化とみなした説であり、ハルの動因低減説があげられる。

学習日 ／ ／ ／

解答解説

1　○　肢文の通り、正しい。

2　×「ワトソンの行動主義」が誤り。ワトソンの行動主義は認知説のように心の動きを考えないので、**行動主義心理学**と呼ばれる。

3　×「パヴロフの古典的条件付け」が誤り。刺激と反応が単純に結びつくという考え方は認知説ではなく、**連合説**である。

4　×「ソーンダイクの結合主義」が誤り。学習を刺激と反応の結合の成立とみなした説、つまり試行錯誤を通して学習が成立するという考え方は、認知説ではなく**試行錯誤説**である。

5　×「ハルの動因低減説」が誤り。これは**ワトソンの行動主義から発展した心理学**であり、認知説ではない。

正解 1

ワンポイントアドバイス

学習のメカニズムでは、プラトーに関する事項がよく問われます。別名、高原現象とも言われ、スランプと混同しやすいので整理しておきましょう。

問題10 学習⑤

学習理論に関する記述として適切なものを１～５から一つ選びなさい。

1．ソーンダイクは、箱の中に入れられたネコが、箱から脱出するために引っかいたり、かみついたり、転げ回ったりなどの不適切な反応を積み重ねていくうちに掛け金を外すという正しい反応に至る経過から、試行錯誤による学習という考え方を提唱した。

2．ケーラーは、ヒヨコやチンパンジーに移調の可能性がみられること、チンパンジーが回道、道具の使用、道具の制作等の洞察を表す行動を示すことなどを明らかにした。このことから、学習は反復経験の効果が最も重要であるという接近説を提唱した。

3．ハルは、刺激と反応の結合、強化の効果といった概念で学習を説明しようとした。中でも習慣強度や動因などの仲介変数に立脚せず、被験体の自発的反応を前提とすることで、行動の目的や動機付けのような問題をも説明できるようにした点に特徴をみることができる。

4．パブロフは、イヌの消化腺の実験生理学的研究を行う中で、条件刺激が繰り返しによって無条件刺激に変化することを発見し、こうした学習は大脳皮質の働きによるものと考えた。この概念は後の心理学に採り入れられて、学習理論の発展に大きな影響を与えた。

5．トールマンは、ネズミの迷路学習場面で潜在学習という現象の存在を指摘した。目的・期待・計画の概念を導入するなど、連合説に極めて近い考え方で、認知説から連合説への潮流の変化に果たした役割は高く評価されている。

学習日 ／ ／ ／

解答解説

1　○　肢文の通り、正しい。

2　×「接近説を提唱した」が誤り。ケーラーが提唱したのは「**洞察説**」である。「接近説」はガスリーが提唱した。

3　×「習慣強度や動因などの仲介変数に立脚せず」が誤り。ハルが提唱した「動因低減説」は、**刺激と反応、動因等の関係を数式化**している。刺激に対する反応（行動）を規定する「媒介変数」を設定することで、人間の複雑な行動を理解することができるという考え方である。

4　×「条件刺激が繰り返しによって無条件刺激に変化する」が誤り。パブロフの犬の実験は、学習・刺激によって反応が誘発されるという、**無条件反応から条件反応に変化する**ことを発見した。これは「古典的条件付け」と呼ばれる。

5　×「連合説に極めて近い考え方」が誤り。連合説の最も有名なものはパブロフの提唱した「古典的条件づけ」である。トールマンの提唱した「サイン・ゲシュタルト説」は、迷路を走るねずみは「どの道筋であれば餌を食べられるのか」を、認知した道筋を基に行動することから、**連合説ではなく認知説に近い**。

正解　1

ワンポイントアドバイス

学習する意欲である「やる気」を起こさせるためには、学習する「動機づけ」が必要です。「主体的に学ぶこと」は注目度が高いので、動機づけに関する理論やキーワード、説の提唱者を整理して覚えておく必要があります。

問題11 学習⑥

次の記述は、動機づけに関するデシの研究について述べたものである。空欄［ア］～［ウ］に当てはまるものの組合せとして最も適切なものを１～５から一つ選びなさい。

［ア］に動機づけられている行動に対して報酬を与えると、［イ］動機づけが低下してしまうことがある。子どもの［ウ］が高いほど、自分から積極的に行動を起こすようにする。

1　ア　内発的　　イ　内発的　　ウ　自己決定感や有能感
2　ア　外発的　　イ　外発的　　ウ　自己決定感や有能感
3　ア　内発的　　イ　外発的　　ウ　責任感や義務感
4　ア　外発的　　イ　内発的　　ウ　責任感や義務感
5　ア　内発的　　イ　内発的　　ウ　責任感や義務感

学習日　／　／　／

解答解説

アとイの正解である「内発的」動機づけとは、**内面に沸き起こった興味・関心や意欲に動機づけられている状態**のこと。この場合の動機づけの原因は、お金や食べ物、名誉など、外から与えられるものではない。そのため問題文の「報酬を与えると、内発的動機づけが低下してしまうことがある」につながる。これは**アンダーマイニング効果**として知られている。

ウの正解は「**自己決定感や有能感**」である。この行動は人にやらされているのではなく、自分で決定しているのだと感じること（自己決定感）は、内発的動機づけを高めることが明らかになっている。
また、褒められるなどして「自分は有能である（有能感）」と感じることも、内発的動機づけを高めると言われる。たとえば英会話の小テストで、いい成績を得た結果、「もっと流暢に英語を話せるようになりたい」「もっと英語の本を読みたい」という意欲を感じて学習に取り組むようなことであり、これはエンハンシング効果と呼ばれる。

正解 1

ワンポイントアドバイス

問題文にあるエドワード・L.デシは、モチベーション理論における「内発的動機づけ」の研究が有名です。中でもアンダーマイニング効果は試験にたびたび登場する用語です。現象の内容や関連のある用語をおさえておきましょう。

問題12 学習⑦

動機づけについての記述として最も適切なものを１～４から一つ選びなさい。

1　自己決定感や自己効力感を感じていることが、内発的動機づけを可能にする心理的基盤につながる。
2　外的な報酬による行為の成功を繰り返すことで内発的な動機づけによる行為に変わることをアンダーマイニング効果という。
3　成功することを恐れて、成功しそうになるとそれを回避しようとする動機を失敗回避動機という。
4　仲良くなりたい、協力したい、友好的な関係を維持したいと欲する動機を達成動機という。

学習日 ／ ／ ／

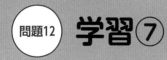

解答解説

1　○　肢文の通り、正しい。

2　×　アンダーマイニング効果とは、達成感や満足感を得るために行っていた行為が報酬を受けた結果、「報酬を受けること」そのものが目的になり、結果として本来の内的な動機が失われてしまう心理状態のこと。つまり、自分の好奇心を満たしたい、誰かの役に立ちたい、目標を達成したいといった、自分の中にある内発的動機づけによってモチベーションをアップさせていたのに、**報酬を受けたとたんにモチベーションが低下してしまうような現象**である。

3　×　失敗回避動機とは、**失敗を恐れて、成功を犠牲にしても失敗を回避しようとする動機**である。

4　×　達成動機とは、**自分の目標を成し遂げようとする強いモチベーション**である。他者よりも高い目標を達成したい、人よりも高い志を実現したいなど、他者を超えたいということが想定されるので、「人と友好的な関係を維持したい」という動機とはそぐわないことが多い。

正解　1

ワンポイントアドバイス

アンダーマイニング効果は、ゲームに熱中している子どもに金銭的な報酬を与えたときなどに見られます。「お金をあげる」と言われたとき、子どもの中では「ゲームをしたい」という内発的な動機が「お小遣いが欲しい」という外発的動機に変化し、結果的にゲームに対する興味やモチベーションが下がります。アンダーマイニング効果に関する問題は頻出なので、具体例を挙げて理解しておきましょう。

問題13 学習⑧

次の各文のうち、「動機づけ」に関する記述の内容として正しいものはどれか。1～5から一つ選びなさい。

1　内発的動機づけとは、何らかの行動に対する報酬が目的となっている際の動機づけをいう。

2　機能的自律性とは、何かに動機づけられていた行動が、動機自体に発展する傾向であり、行動がもともとの動機から独立することをいう。

3　学習性無力感とは、物質的な報酬を与えた場合に動機づけが低下することをいう。

4　アンダーマイニング効果とは、言語的報酬によって動機づけが高まることをいう。

5　エンハンシング効果とは、統制できないような不快な出来事や刺激にさらされた後で、行為の動機づけを失ったり失敗したりすることをいう。

学習日 ／ ／ ／

解答解説

1　×　「報酬が目的となっている」が誤り。内発的動機づけとは、報酬や賞賛など、外部からの刺激が動機になるものではなく、**自分自身の内部から湧き上がってくる好奇心や興味、関心などが動機になる**ものである。

2　○　肢文の通り、正しい。

3　×　「物質的な報酬を与えた場合に」が誤り。学習性無力感とは、**いくら行動を起こしてもストレスから逃れられないと学習したときに、無気力な状態に陥ってしまうこと**。「どうせ何をやっても無駄だ」「頑張っても意味がない」という気持ちになり、実際にはストレスから逃れられるチャンスが訪れたとしても、現状維持の状況に甘んじてしまう現象。

4　×　「動機づけが高まる」が誤り。アンダーマイニング効果とは、本来は好奇心や興味といった「内発的動機づけ」によって行動していた相手に対し、**報酬や褒美といった「外発的動機づけ」を与えた結果としてモチベーションが低下してしまう現象**である。

5　×　肢文は学習性無力感に関する説明である。エンハンシング効果とは、**報酬などの外発的動機づけを利用して、結果的に内発的動機づけを高めて、モチベーションを増加させること**。

正解　2

ワンポイントアドバイス

文部科学省では、新しい学習指導要領が目指す姿として、「『何を学ぶのか』という、必要な指導内容等を検討し、その内容を『どのように学ぶのか』という、子供たちの具体的な学びの姿を考えながら構成していく必要がある」としています。どのように学ぶのか？を考えるとき、どのように「学ぶ動機づけ」をするのか？は重要なポイントです。

問題14 学習⑨

次の記述は、記憶や知識に関するものである。空欄［ア］～［ウ］に当てはまるものの組合せとして最も適切なものを1～5から一つ選びなさい。

日時や場所や特定された個人的な出来事、思い出に関する記憶を［ア］という。［イ］とは世界に関する一般的な記憶であり、「知識」といってよい。［ウ］は事柄を知ることであり、教科書などによって蓄積していくことが比較的容易である。

1	ア	エピソード記憶	イ	意味記憶	ウ	宣言的知識
2	ア	意味記憶	イ	短期記憶	ウ	手続き的知識
3	ア	エピソード記憶	イ	短期記憶	ウ	宣言的知識
4	ア	長期記憶	イ	エピソード記憶	ウ	手続き的知識
5	ア	意味記憶	イ	長期記憶	ウ	宣言的知識

学習日 ／ ／ ／

解答解説

保持時間に基づく記憶の分類（感覚記憶、短期記憶、長期記憶）に関する問題である。この問題は、長期記憶について述べられている。

ア　**エピソード記憶**。いわゆる「思い出」として記憶されているもので、符号化（記銘）、貯蔵（保持）、検索（想起）という3段階に分けられる。

イ　**意味記憶**。個人の体験を伴わない記憶であり、「知識」として積み重ねられる。エピソード記憶が「覚えている」ものであるなら、意味記憶は「知っている」と表現される。

ウ　**宣言的知識**。言語によって説明できる記憶で、エピソード記憶と意味記憶が含まれる。一方で、手順を考えずに自転車に乗れる、など無意識にできることは「手続き的知識」と呼ばれる。

正解 1

ワンポイントアドバイス

記憶と学習は密接に結びついていて、その関係には区分や定義があります。記憶の名前と内容の組み合わせを結びつける問題は頻出です。

問題15 発達①

次は、ピアジェが提唱した思考の発達段階について述べた文章である。文章中の［①］～［③］にあてはまる語句の組み合わせとして最も適切なものを1～4から一つ選びなさい。

> ピアジェは自分の3人の子供を対象に観察や実験を重ね、思考の発達段階を示した。
> 感覚運動期（0～2歳）の子供は、物をしゃぶったり触ったりと、感覚を使って周囲を理解しようとする。［①］（2～7歳）では、言葉を用いた思考ができるようになるが、他人の視点に立って考えることが難しい。小学校低学年以降の［②］（7～11歳）では、見た目に引きずられることなく、また客観的に考えることができるようになるが、思考の対象は具体的で日常的な物や場面に限られる。［③］（11歳以降）では、文字式などの抽象的な記号の操作や抽象的な思考が可能になる。

1	①	前操作期	②	後操作期	③	形式的操作期
2	①	主観的操作期	②	具体的操作期	③	後操作期
3	①	前操作期	②	具体的操作期	③	形式的操作期
4	①	主観的操作期	②	前操作期	③	後操作期

学習日 ／ ／ ／

解答解説

ピアジェは、論理的操作ができるようになるかという視点で、思考の発達段階を示した。

① 言葉を用いる思考ができるようになるが、**自己中心性と中心化が特徴**である2～7歳は「**前操作期**」である。

② 情報処理を頭の中で行い、**客観的な思考**ができるようになる7～11歳は「**具体的操作期**」である。

③ 直接観察したことだけでなく、頭の中で想定したことで結論を導く、**抽象的な思考が始まる**11歳以降は「**形式的操作期**」である。

正解 3

ワンポイントアドバイス

ピアジェの発達段階を説明するとき、操作期、自己中心性、中心化など、普段使う場合とは違う意味の言葉があります。例えば「操作」とは言葉や情報を正しく処理することを意味します。自己中心性は、かくれんぼをするときに、自分の目を覆って「隠れた」と思い込むようなもので、わがままを意味するものではありません。具体的な場面を思い浮かべると理解が深まります。

問題16 発達②

ピアジェの理論についての記述として最も適切なものを１～４から一つ選びなさい。

1　あるシェマに基づいて外界から情報を取り入れる（理解する）ことを同化、既存のシェマでは対象を同化しきれないときシェマ自体を変更することを調節とよんだ。この同化と調節の均衡化により、様々な事象の理解が可能になると考えた。

2　認知発達の形式的操作期の段階では、見聞きしたことの模倣が時間をおいて再現される「延滞模倣」が活発になると示した。

3　認知発達の前操作期の段階では、系列化や分類といった論理操作が可能になると示した。

4　子どもの道徳判断が認知発達のプロセスに対応して構造的に発達することを、遊び場面での子どもとの対話データを通じて実証的に示した。この研究において、子どもの道徳性が「自律的道徳」から「他律的道徳」へと発達することを示した。

学習日 ／ ／ ／

解答解説

1　○　肢文の通り、正しい。「シェマ」とは、人が外界のものを認知する枠組みのことである。

2　×「形式的操作期の段階では」が誤り。「ごっこ遊び」などを始める**延滞模倣**が活発になるのは、０歳から２歳の**感覚運動期**の段階である。

3　×「前操作期の段階では」が誤り。**論理操作**は、７歳から11歳の具体的操作期から見られはじめ、11歳からの**形式的操作期**にできるようになる。

4　×「自律的道徳から他律的道徳へ」が誤り。子どもの道徳性は**他律的道徳**（親や先生などの他者のルールに従う）の段階から、**自律的道徳**（自分自身の意思で行為を決定する）の段階へと発達の段階を移行するとされている。

正解 1

ワンポイントアドバイス

ピアジェの「発達段階」は、用語を丸暗記するより、どの年齢でどのような認知発達の特徴が見られるのか、具体的な行動に当てはめてイメージすると理解しやすいでしょう。

問題17 発達③

ピアジェが提唱した発達段階について、適切ではないものを１～４から一つ選びなさい。

1　生後２歳くらいまでの時期を「感覚運動期」という。見えないけれどそこに存在しているというような「ものの永続性」を生後間もない赤ちゃんは獲得していないが、この時期を通して次第に獲得されていく。

2　２～７歳くらいの時期を「前操作期」という。この時期の子どもが失敗しがちなものに、「保存課題」がある。同じ量のジュースを違う形の容器に移し替えただけなのに、量が変わったと考えることがある。

3　７～11、12歳くらいの時期を「具体的操作期」という。この時期の子どもは自己中心性が特徴であり、具体的なものについては論理的に操作できるが、抽象的な概念をうまく扱うことができない。

4　11、12歳くらい以降の時期を「形式的操作期」という。ある要因が影響するかどうかを決定するために、他の要因を一定にしておいて、一つの要因だけを変化させる方法をとるなど、仮説演繹的（仮説検証的）な思考が可能になる。

学習日 ／ ／ ／

解答解説

1　○　肢文の通り、正しい。

2　○　肢文の通り、正しい。

3　×「自己中心性が特徴」が誤り。**具体的操作期の特徴は論理的な思考**である。自己中心性は前操作期の特徴である。

4　○　肢文の通り、正しい。

正解 3

ワンポイントアドバイス

ピアジェの認知発達理論については、各操作期の主な特徴の把握・理解に加えて、時期の並び替えもできるようにしておきましょう。

問題18 発達④

E.H.エリクソンが提唱した心理社会的発達段階の発達課題について適切ではないものを1～4から一つ選びなさい。

1　乳児期の子どもは、養育者からの授乳などの適切な行動を通して、「基本的な信頼感」が形成され、身体的・精神的安定を得る。しかし、養育者から適切な行動を得られなかった場合、この時期に形成された「不信感」は一生を通して持続する場合が多い。

2　幼児期前期の子どもは、養育者からの排泄トレーニングを受ける。養育者からの適切なしつけにより自己統制できるようになり、「自律性」を身に付ける。しかし、養育者の過度なしつけや失敗の繰り返しが起こると統制能力を失い、「恥」や「疑惑」を覚えるようになるとされている。

3　幼児期後期の子どもは、外界に対して興味・関心を示し、計画や目標を立て活発に動き始める。そのような行動や自己主張が認められることで「自主性」が高まる。しかし、他者と衝突したり受け入れられなかったりすると、自分の行動や主張に対して「不安感」を抱くようになりやすい。

4　学童期の子どもは学校での学習などを通して、さまざまな課題に誠実に取り組むことで「勤勉性」を獲得する。しかし、与えられた課題に対して積極的に取り組めず達成感が得られない場合、「劣等感」に陥る傾向がある。

学習日 ／ ／ ／

解答解説

1　○　肢文の通り、正しい。

2　○　肢文の通り、正しい。

3　×「不安感」が誤り。正しくは**罪悪感**である。幼児期後期（4～6歳）は自主性や積極性を育むと、自ら何かをしようという「目的意識」を持てるようになる。ただ自己主張して叱られると「罪悪感」を感じて自己表現をためらいがちになる時期でもあるので、叱責の仕方に注意する必要がある。

4　○　肢文の通り、正しい。

正解 3

ワンポイントアドバイス

エリク・ホーンブルガー・エリクソンは、ドイツ出身でのちにアメリカ国籍を取得した発達心理学者です。発達には8つの「発達段階」があることや、アイデンティティという概念を提唱したことでも知られています。教育の現場では、「子どもがなぜそのような行動をとるのか？」との疑問を感じたときにヒントとなる考え方です。

問題19 発達⑤

次は、エリクソンが提唱した発達段階について述べた文章である。文章中の［①］、［②］にあてはまる語句の組み合わせとして正しいものを1～4から一つ選びなさい。

> エリクソンは心理社会的観点から発達段階を［①］に分けた理論を提唱した。これによれば、各発達段階において克服すべき課題があるとするもので、青年期における課題として［②］の達成を挙げた。

1　①　4段階　②　自我同一性
2　①　4段階　②　基本的信頼
3　①　8段階　②　自我同一性
4　①　8段階　②　基本的信頼

学習日 ／ ／ ／

解答解説

① エリクソンは人間の一生を**8段階**に分けてその段階ごとに心理的課題と危機、課題達成により獲得する要素などを分類した。

② 青年期における課題は**自我同一性**であり、これはアイデンティティともいう。青年期はいわゆる思春期である。エリクソンはこの時期に、親や兄弟姉妹、友人や教師などの人間関係の中で、「自分とは何者なのか」という試行錯誤を行い、アイデンティティを獲得するとしている。反対に、獲得に失敗した状態、つまり自己が混乱し社会的位置づけを見失ってしまったような状態を自我同一性拡散といい、自滅的になる、選択や決断ができない、対人関係や仕事がうまくいかないといった問題へとつながる危険があるとされる。

正解 3

ワンポイントアドバイス

エリクソンの発達理論には、各発達段階ごとに「A対B」という形で、その年代に迎える危機と、危機を克服できなかった場合に積み残す問題点が示されています。「危機」とは、生命の危険がある状態ではなく、「克服すべき課題」として認識すると理解しやすいでしょう。

問題20 発達⑥

次の記述の空欄［ア］と［イ］に当てはまるものの組合せとして最も適切なものを1～5から一つ選びなさい。

エリクソンは、人間は生まれてから死ぬまで生涯にわたって発達すると考え、人生を8つの発達段階に分け、各段階における心理・社会的危機を設定した。そのなかで、児童期の心理・社会的危機は［ア］であり、青年期の心理・社会的危機は［イ］である。

1	ア	信頼対不信	イ	勤勉性対劣等感
2	ア	主体性対罪悪感	イ	自律性対恥・疑惑
3	ア	同一性対同一性拡散	イ	主体性対罪悪感
4	ア	勤勉性対劣等感	イ	同一性対同一性拡散
5	ア	自律性対恥・疑惑	イ	信頼対不信

学習日 ／ ／ ／

解答解説

ア　エリクソンの発達理論において、児童期の心理・社会的危機は「**勤勉性対劣等感**」としている。児童期は自我の成長に決定的な段階で、さまざまな問題に誠実に取り組むことで勤勉性が得られ、達成感を味わえないと劣等感に陥ると言われている。

イ　エリクソンの発達理論において、青年期の心理・社会的危機は「**同一性対同一性拡散**」としている。青年期は、自分は何者であるかという疑問を持ち、葛藤をするために、社会的な責任を猶予されているモラトリアムの段階とされている。葛藤の中で「自分が何者かわからなくなる」状況に陥ることを同一性の拡散と言い、「これが自分自身である」と実感できるのが同一性である。

正解 4

ワンポイントアドバイス

青年期には「境界人」「疾風怒濤」「第二の誕生」など、その時期の特徴を表す印象的な言葉があります。青年期の特徴については、説明文を読んで、誰の言葉かを答える問題が出題されています。

問題21 発達⑦

次の記述ア～カは、コールバーグによる道徳性の発達理論に基づく六つの段階をそれぞれ説明したものである。ア～カを発達の段階順に並べたものとして適切なものを１～５から一つ選びなさい。

ア　共同社会全体の中で一般的に受け入れられる行動を基に判断して行動することにみられるように、「よい子」として振る舞うことが中心である段階。

イ　「盗みをすることは悪い」ということの理由を「罰せられるから」といった、行為に伴う結果から理由付けをすることにみられるように、罰と服従が中心である段階。

ウ　法はいつでも、共同社会の合意を得て民主的な手続きにより変更することが許されていると考えることにみられるように、社会契約的な考え方が中心である段階。

エ　自分の責任と義務を誰もが果たすことの大切さや、無秩序を避けることの重要性について述べることにみられるように、法と秩序が中心である段階。

オ　社会秩序の重要性は認めるものの、全ての秩序ある社会が必ずしももっと重要な原理を満たしているとは限らないと考えることにみられるように、普遍的な道徳原則が中心である段階。

カ　どんな問題にも、ある側面とは別の側面があることを理解し、自分の要求や楽しみで判断することにみられるように、ナイーブな利己的判断が中心である段階。

1　ア → イ → ウ → エ → オ → カ
2　ア → カ → イ → エ → ウ → オ
3　イ → ア → カ → ウ → オ → エ
4　イ → カ → ア → エ → ウ → オ
5　カ → ア → イ → オ → エ → ウ

学習日　／　／　／

解答解説

アメリカの心理学者**コールバーグ**は、人間の道徳性は幼児期から思春期、青年期の全体を通じて**6つの段階**を経て徐々に発達すると考え、生涯にわたり変化・発達する道徳性を、「**3水準6段階**」という発達段階で分類した。その順番は以下の通り。

３水準とは
水準１：前慣習的水準　　イとカ
水準２：慣習的水準　　アとエ
水準３：後慣習的水準　ウとオ

６段階とは
段階１：罪と服従の段階　イ
段階２：報酬と取引の段階　カ
段階３：対人的同調の段階　ア
段階４：法と秩序の段階　エ
段階５：社会契約と個人の権利の段階　ウ
段階６：普遍的倫理原理の段階　オ

正解 4

ワンポイントアドバイス

人間の発達を説明する学説にはいくつか必ずおさえておかなければならないものがあります。発達段階には乳児期から青年期までを説明するもの、生涯にわたって発達するとするもの、遺伝から説明しようとするものまであるので、それぞれの提唱者と内容を併せて理解しておきましょう。

問題22 発達⑧

１～４の記述のうち、適切ではないものを一つ選びなさい。

1　ピアジェは、子どもの道徳性は大人の判断に依存する「他律的段階」から自己の判断を重視する「自律的段階」へと移行していくと提唱した。

2　アイゼンバーグは、自他の要求が葛藤する場面における向社会的道徳判断の発達的変化を検証し、発達段階を提唱した。

3　コールバーグは、ピアジェの研究を基礎に、より広い年齢層にわたる発達過程を検討し、３水準６段階の発達段階説を提唱した。

4　道徳性に関する心理学的研究の先駆けとなったのは、フロイトの「児童の道徳的判断」という研究である。

学習日 ／ ／ ／

解答解説

1　○　肢文の通り、正しい。ピアジェは認知発達の4段階を示したが、**道徳心にも発達段階があるとした。**

2　○　肢文の通り、正しい。**向社会的道徳判断**とは、他者を助けようとしたり、自分以外の人々のためになることをしようとする**自主的な行為**のこと。

3　○　肢文の通り、正しい。**3水準6段階**とは、**1つの水準について2段階に分けたモデル**のことである。

4　×「フロイトの」が誤り。**『児童の道徳的判断』**は**ピアジェ**の研究である。

正解 4

ワンポイントアドバイス

道徳性に着目した発達の段階理論については、ピアジェ、コールバーグ、アイゼンバーグをセットで覚えておきましょう。

問題23 発達⑨

次の各文は、発達理論や学習理論の提唱や研究を行った人物についての記述である。空欄［A］～［C］に、下のア～カのいずれかの語句を入れてこれらの文を完成させる場合、正しい組合せはどれか。1～5から一つ選びなさい。

・コールバーグ（Kohlberg, Lawrence）は、ピアジェ（Piaget, Jean）の影響を受けながら、道徳の認知発達的理論を構築した。コールバーグによると、道徳の発達は［A］からなるものであるとされる。

・ヴィゴツキー（Vygotsky, Lev Semenovich）は、子どもの発達に教育が主導的役割を果たすとする「［B］」を唱えた。これは、子ども一人でできる水準と、大人など自分より有能な他者の支援を受けながらできる水準の差分を指し、今はできないが次に子どもが一人でできるようになる発達領域のことを意味する。

・ブルーナー（Bruner, Jerome Seymour）は、［C］の学習理論、「［C］」の発生論的研究を踏まえ、教育の現代化運動を進めた。ウッヅ・ホール会議に参加し、その議長としてまとめた報告書が『教育の過程』である。

ア　慣習的水準以前・慣習的水準・慣習的水準以降の3水準6段階	
イ　感覚運動期・前操作期・具体的操作期・形式的操作期の4段階	
ウ　レディネス	エ　発達の最近接領域説
オ　思考	カ　認知

	A	B	C
1	ア	ウ	カ
2	ア	エ	カ
3	イ	ウ	オ
4	イ	エ	オ
5	イ	エ	カ

学習日　／　／　／

解答解説

A　コールバーグによると、道徳の発達は「**慣習的水準以前・慣習的水準・慣習的水準以降の３水準６段階**」の発達段階からなるものであるとされる。

B　ヴィゴツキーは子どもの発達に教育が主導的役割を果たすとする「**発達の最近接領域説**」を唱えた。

C　ブルーナーは「**認知**」の学習理論、「**認知の発生論的研究**」を踏まえ、教育の現代化運動を進めた。ブルーナーは認知心理学の第一人者であり、発見学習の生みの親である。ウッヅ・ホール会議において、子どもの学力を上げるポイントとしてブルーナー議長が報告書の中で挙げたのが、「構造」「発見」「レディネス」「螺旋型学習」である。

補足

感覚運動期・前操作期・具体的操作期・形式的操作期という発達の４段階を唱えたのはピアジェである。

正解 2

ワンポイントアドバイス

生徒の主体的な学びを促すために、「学習の動機づけ」をどうするかは教育現場で日々問われる課題です。教育心理学の単元からは、まず内発的動機づけと外発的動機づけをおさえておきましょう。

問題24 発達⑩

発達に関する記述として適切なものを1～5から一つ選びなさい。

1. ヴィゴツキーは、発達過程にみられる特徴的な段階を八つのライフ・サイクルに区分し、思春期から青年期は、現実的に予想される将来に向けて、アイデンティティを確立する時期であると説いた。
2. シュテルンは、認知の発達の過程を感覚運動期、前操作期、具体的操作期、形式的操作期の四つの段階に分け、発生的認識論の観点に立ち、発達を環境への適応過程として認知の発達を中心にした発達理論を説いた。
3. エリクソンは、発達は生まれつきの素質だけの展開ではなく、また単に外部環境の影響だけで成立するものでもないと考え、遺伝要因と環境要因が加算的に作用して発達に影響を及ぼすとする輻輳説を説いた。
4. ゲゼルは、訓練・学習のような経験よりも神経系の成熟が発達に重要な要因であるとし、訓練・学習が効力を発揮するには、その成熟にとって適切なレディネスが備えられていることが必要であるという成熟優位説を説いた。
5. ピアジェは、子供の発達は他者との共同から次第に自分一人でというような筋道をたどると考え、子供がある課題を一人で解ける発達の水準と大人の指導や自分より能力が高い者と共同して解ける発達の水準の隔たりのことを、発達の最近接領域に関する理論として説いた。

学習日 ／ ／ ／

解答解説

1　×　エリクソンの８つの「ライフサイクル論」であるため誤り。**ヴィゴツキー**は発達心理学の発展に貢献したロシア（旧ソ連）の心理学者。彼の提唱した「**発達の最近接領域**」とは、子どもが自力では難しいが、誰かのサポートがあれば成長できる領域をさす。

2　×　ピアジェの認知発達理論であるため誤り。**シュテルン**はドイツの心理学者で、IQという概念の創始者。人間の発達は個人の遺伝的・内的要因のみによって発現するものではなく、環境的・外的要因のみでもない、これら両者が統合的に機能すると考える「**輻輳説**（ふくそうせつ）」を唱えた。

3　×　シュテルンの輻輳説であるため誤り。**エリクソン**は第二次世界大戦中にドイツからアメリカに亡命した発達心理学者。発達段階を８つに分けて解説した「**ライフサイクル論**」を提唱した。文部科学省による学習指導要領は、子どもの発達段階を「乳幼児期」「学童期」「青年前期（中学校）」「青年中期（高等学校）」の４段階に分けているが、これはエリクソンの８つの「ライフサイクル論」を基にしている。

4　○　肢文の通り、正しい。

5　×　ヴィゴツキーが提唱した発達の最近接領域であるため誤り。**ピアジェ**の４つの「**発達段階論**」は、フロイトの「リビドー発達段階理論」、エリクソンの「８つのライフサイクル論」と並ぶ、３大発達段階説の一つである。

正解　4

ワンポイントアドバイス

発達の分野に関しては、提唱した説の内容と提唱者を結びつける問題が頻出しています。人間の発達に関する基本的な学説から押さえておきましょう。

問題25 発達⑪

心理学の研究に携わった人物に関する記述として適切なものを次の１～４から一つ選びなさい。

1　ピアジェは、発達段階を、感覚運動期、前操作期、具体的操作期、形式的操作期の四つの段階に分類した。具体的操作期になると、ごっこ遊びに見られるように、父親や母親など家族の役割を演じるような行動が見られるようになり、形式的操作期になると、容器に入った液体を異なる形の容器に入れても液体の量が変わらない、棒を長さの順番に並べて比較するといった、論理操作ができるようになるとした。

2　フロイトは、精神構造はエス、自我、超自我の３領域からなっているとした。エスは本能的な欲求で、食欲や睡眠欲などがこれに当てはまる。自我は本能的な欲求を理性的にコントロールする部分であり、超自我は道徳的・良心的であろうとする部分である。子供が親から叱られたり褒められたりすることで行動の善し悪しを学び、自分で判断することができるようになる意識は自我であり、エスと超自我を調整する役割にあるとした。

3　アドラーは、人は、人生の目標を設定しその目標を追求し、自分の可能性を引き出し、自身の生活スタイルを創り出すことで劣等感を克服しようとする存在であると考えた。人は他者への共感や他者との協同、自らが所属する社会への貢献といった共同体感覚が欠如すると強すぎる劣等感をもつに至るが、劣等感をもった人が自ら問題を解決しようと行動するよう働き掛ける「勇気づけ」が劣等感への対処として効果的であると考えた。

4　マズローは、人間の欲求を、生理的欲求、安全の欲求、愛情と所属の欲求、承認と尊重の欲求、自己実現の欲求と階層的に捉え、低階層の欲求が満たされるとより高次の階層の欲求を求めると考えた。さらに、これらの階層を欠乏欲求と成長欲求の二つに大別した。愛情と所属の欲求は、他者と親密になり他者から承認されたいといった欲求であり、自尊心に必要な欲求が含まれるため、成長欲求であるとした。

学習日 ／ ／ ／

解答解説

1　×「具体的操作期」「形式的操作期」の説明が誤り。ごっこ遊びは前操作期、論理操作は具体的操作期の特徴である。ピアジェの認知発達段階において、7～11歳の、実際に手を動かさなくても頭の中で情報処理ができるようになる時期を具体的操作期と呼ぶ。

2　×「子供が親から叱られたり褒められたりすることで行動の善し悪しを学び、自分で判断することができるようになる意識は自我であり」が誤り。これは「**超自我**」の説明である。フロイトは超自我を道徳性の根源として、良心や罪悪感を代表するものと位置付けている。

3　○　肢文の通り、正しい。

4　×「自尊心に必要な欲求が含まれるため、成長欲求であるとした」が誤り。正しくは「**欠乏欲求**」である。愛と所属の欲求は、社会的集団に所属して安心感を得たい、自分を受け入れてくれる親密な他者の存在が欲しいというような、自分に不足しているもの（欠乏）を埋めようとする欲求である。

正解 3

ワンポイントアドバイス

発達に関する問題は、提唱された説の内容と提唱者を結びつける問題が頻出しています。発達というと子どもや青年期に限ると考えがちですが、1970年以降は「人間は生涯発達し続ける」という意味の「生涯発達（Life-span development)」という言葉・概念も盛んに用いられているので注意しましょう。

問題26 発達⑫

各種の発達段階に関する説明として最も適切なものを１～５から一つ選びなさい。

1　ガードナーは、発達段階を８つに分類した。「青年期」において最も重要な課題がアイデンティティの形成であるとした。

2　ハヴィガーストは、他者の援助があれば達成できる水準を「発達の最近接領域」と呼び、教育はこの領域にある子どもの水準を、学習によって独力でできる水準へと引き上げることであると主張した。

3　フロイトは、愛着の発達について４つの段階に区別した。最終の第４段階は３歳以降の時期で、養育者との間に愛着が形成されたことが理解できるようになり、養育者がそばにいなくても、愛着対象以外の他者とでも関係を持つことができるとした。

4　エリクソンは、発達段階を６つに分類した。それぞれの発達段階には、その時期に達成することが期待される課題があるとし、「児童期」には、読み・書き・計算の基礎的な知識技能を獲得することを挙げている。

5　マーラーは、赤ん坊の誕生直後から３歳ぐらいまでの間に、赤ん坊の心には母親との関係を通じて徐々に“自分”というものが芽生え「心理的誕生」に到達することを明らかにした。この心の発達を「分離－個体化過程」としてまとめた。

学習日　／　／　／

解答解説

1　×　「ガードナーは」が誤り。８つの発達段階を提唱したのは**エリクソン**である。

2　×　「ハヴィガーストは」が誤り。発達の最近接領域を提唱したのは**ヴィゴツキー**である。

3　×　「フロイトは」が誤り。愛着理論を提唱したのは**ボウルビィ**である。

4　×　「エリクソンは」が誤り。発達段階を６つに分類したのは**ハヴィガースト**である。

5　○　肢文の通り、正しい。

正解　5

ワンポイントアドバイス

心理・社会的な側面から人生を８つの発達段階に分けたエリクソンの「心理・社会的危機」は頻出問題です。各発達段階における「危機」の内容と、その時期にまつわる対人関係を整理しておきましょう。

問題27 発達⑬

発達上の特性・症状についての説明として最も適切なものを1～4から一つ選びなさい。

1　LDとは、強い恐怖感や無力感、絶望感を覚えた経験が、トラウマ（心的外傷）となり、眠れない、注意が集中しないなどの障害により生活に支障をきたす状態のことである。

2　ADHDの主な症状として、種々の活動において綿密に注意することができないなどの「不注意」、事前に見通しを立てることなく即座に行動に移してしまうなどの「衝動性」、しばしばじっとしていることができないなどの「多動性」が特徴としてあげられる。

3　ASDとは、基本的には全般的な知的発達に遅れはないが、聞く、話す、読む、書く、計算する又は推論する能力のうち特定のものの習得と使用に著しい困難を示す状態のことである。

4　PTSDとは、複数の状況で社会的コミュニケーションや対人的相互反応に持続的な障害があり、行動、興味、活動が限定された反復的な様式で示される。その症状が発達早期に見られ、社会的、職業的、または他の重要な領域における機能が制限あるいは障害され、これらの障害が、知的能力障害ないしは全般的な発達遅延ではうまく説明されない状態である。

学習日 ／ ／ ／

解答解説

1　×　「LDとは」が誤り。正しくは**PTSD**（Post Traumatic Stress Disorder　**心的外傷後ストレス障害**）である。

2　○　肢文の通り、正しい。ADHDはAttention Deficit Hyperactivity Disorderの略で、注意欠陥・多動性障害と訳される。

3　×　「ASDとは」が誤り。正しくは**LD**（Learning Disability　**学習障害**）である。

4　×　「PTSDとは」が誤り。正しくは**ASD**（Autism Spectrum Disorder　**自閉スペクトラム症**）である。

正解　2

ワンポイントアドバイス

学校のような集団生活において、仲間との関係と心の発達は社会性の発達に密接に関わります。成長段階によって形成される仲間集団の特徴が違うので、整理しておきましょう。

問題28 発達⑭

次のａ～ｃは、発達に関する理論について述べたものである。それぞれに関係の深い人物を語群から選ぶとき、正しい組合せとなるものを解答群から一つ選びなさい。

ａ　社会的な課題に着目して人間の一生を八つの段階に分け、各段階の心理・社会的な危機を克服することにより、健全な人格が発達するとした。

ｂ　乳児期から児童期にかけての発達を環境への適応過程として捉え、子どもたちの認識発達を、感覚運動期、前操作期、具体的操作期、形式的操作期の四つの段階に分類した。

ｃ　行為の善悪をその結果により判断する段階や、行為者の意図に従い判断する段階、経験を超越した道徳原理により判断する段階など、道徳性の発達についていくつかの段階を提唱した。

【語　群】

ア　スキナー	イ　エリクソン	ウ　ピアジェ
エ　ケーラー	オ　コールバーグ	カ　ロールシャッハ

【解答群】

1	ａ－ア	ｂ－ウ	ｃ－オ	2	ａ－ア	ｂ－ウ	ｃ－カ
3	ａ－ア	ｂ－エ	ｃ－オ	4	ａ－ア	ｂ－エ	ｃ－カ
5	ａ－イ	ｂ－ウ	ｃ－オ	6	ａ－イ	ｂ－ウ	ｃ－カ
7	ａ－イ	ｂ－エ	ｃ－オ	8	ａ－イ	ｂ－エ	ｃ－カ

学習日　／　／　／

解答解説

a　人間の一生を8段階に分けて、それぞれの時期に起こりうる発達課題を「**心理・社会的危機**」として示したのは**エリクソン**である。

b　乳児期から児童期までの**認知発達**を4段階に分類したのは**ピアジェ**である。

c　人間の**道徳性の発達段階**を3水準6段階に分けたのは**コールバーグ**である。

補足

・スキナーはアメリカの心理学者で、行動分析学の創始者である。動物の行動をレスポンデントとオペラントに分類した。
・ケーラーはドイツの心理学者で、学習心理学の領域を研究した。ゲシュタルト心理学の創始者の一人である。
・ロールシャッハはスイスの精神科医で、投影法の心理検査であるロールシャッハ・テストを考案した。

正解 5

ワンポイントアドバイス

人間の発達はさまざまな視点から分類されています。言語や思考、道徳性、学習などの領域、あるいはピアジェは4段階、エリクソンは8段階といった数字など、各論理の特徴的なところを捉えて整理しましょう。

問題1 教育評価①

教育評価について説明した文として適切でないものを１～４から一つ選びなさい。

1　教育評価の目的は、教師の指導と子どもたちの学習活動の改善を目指すために行うものであるということができる。
2　「５段階相対評価」に対しては、どんなに指導しようとも「１」や「２」を付ける子どもが存在することや、排他的な競争が常態化するという批判がある。
3　「到達度評価」は相対評価の一種で、学力内容としての「到達目標」を評価基準とすることによって、どのような学力が形成されたか否かを明らかにすることができる。
4　「個人内評価」とは、心身の特性の個人差を他人との比較ではなく、個人としてその特徴を捉えるものであり、例えば、時間経過を追って、個人のある特性についての進歩の状況、発達変容を明らかにする方法などがある。

学習日 ／ ／ ／

解答解説

1　○　肢文の通り、正しい。

2　○　肢文の通り、正しい。

3　×「相対評価の一種で」が誤り。**到達度評価とは、絶対評価の一種**で、教科やその単元ごとにあらかじめ定められた教育目標（指導目標）に照らして、ある期間内に児童生徒がどこまで到達したかを示す評価方法をいう。

相対評価が児童生徒が集団内のどの順位にいるかを評価するのに対して、絶対評価とは、集団内での順位にかかわらず、**個人の能力に応じてそれぞれ評価する**方法である。

4　○　肢文の通り、正しい。

正解 3

ワンポイントアドバイス

「相対評価」と「絶対評価」はよく問われるポイントです。それぞれの評価の内容を直接問うだけでなく、他の評価方法と併せて問われることが多いので、さまざまな評価方法について整理しておきましょう。

問題2 教育評価②

次の記述ア・イは、それぞれ下の心理学に関する用語Ａ～Ｃのいずれかについてのものである。ア・イとＡ～Ｃとの組合せとして適切なものを１～５から一つ選びなさい。

ア　教師がある児童・生徒に対して期待をもった場合、その期待の通りに結果が得られること。
イ　他者がある側面で望ましいもしくは望ましくない特徴をもっていると、その評価を当該人物に対する全体的評価にまで広げてしまうこと。

Ａ　ピグマリオン効果
Ｂ　寛大化傾向
Ｃ　ハロー効果

1　アーＡ　イーＢ
2　アーＡ　イーＣ
3　アーＢ　イーＣ
4　アーＣ　イーＡ
5　アーＣ　イーＢ

学習日　／　／　／

解答解説

A　**ピグマリオン効果**とは、**教師期待効果**ともいい、たとえば教師からの期待を受けることで、学習や作業などの成果を上げやすいこと。＝ア

B　**寛大化傾向**とは、たとえば教師が、保護者から抗議されたくないとか、子どもたちから悪く思われたくないなどの理由で、児童生徒の**評価を甘くする**ような効果をいう。

C　**ハロー効果**とは、一つの**特徴や強い印象に引っ張られて、対象を歪めて見る**人間心理を指す。ハローとは「後光」や「光輪」を意味している。たとえば好感度の高い芸能人をテレビコマーシャルに起用するのは、ハロー効果に則った宣伝方法である。＝イ

補足

ハロー効果が「人を見た目で判断すること」であるのに対して、寛大化傾向は「人に対して寛大な見方をすること」を意味する。

正解 2

ワンポイントアドバイス

児童生徒を評価するとき、評価を歪める要因があると客観的な評価が難しくなります。完全な客観性を保つのは困難ですが、評価を歪める要因を理解しておくことで、評価の客観性をより高めることに役立ちます。

問題3 教育評価③

教育評価に関する説明として適切なものを１～５から一つ選びなさい。

1．　全般的に好まれている人が、知的、有能、正直と判断されることがあるように、他者の全体的評価やある側面の評価が、その人の他の側面の判断を基にしてなされる傾向のことを対比誤差という。
2．　教師による児童・生徒の学習意欲の向上に対する期待が、その児童・生徒の学習意欲を高めることがあるなど、教師の期待が児童・生徒の振る舞いを期待通りに導く効果のことをピグマリオン効果という。
3．　対象人物以外の人物のパフォーマンスが低い場合、対象人物の評価は実際よりも高くなる傾向にあるように、対象人物の評価が同一グループ内の他者のパフォーマンスに影響を受けることをハロー効果という。
4．　評価者が極端な評価を避けて平均的な評価を行うといったように、判断や評定などの査定において、評定値が平均や中点の周辺付近に固まってしまい、実際には査定可能範囲の全体を反映できないことを寛容効果という。
5．　評価者が相手に好意的感情をもっている場合は高く、相手に非好意的感情をもっている場合は低く評価するというように、評価する特性とは関係なく、評価者が相手にどのような感情をもつかによって評価をする傾向を逆算化傾向という。

学習日 ／ ／ ／

解答解説

1　×　「対比誤差」が誤り。正しくは「**ハロー効果**」である。対比誤差とはチーム内に特に秀でている人がいたり、評価者側があるポイントを特に重視している場合に、その特性を必要以上に強調して評価してしまうこと。

2　○　肢文の通り、正しい。

3　×　「ハロー効果」が誤り。正しくは「**対比誤差**」である。

4　×　「寛容効果」が誤り。正しくは「**中心化傾向**」である。寛容効果とは、他者の好ましい側面が強調されて好ましくない側面は控えめに評価されることで、寛大な評価となること。

5　×　「逆算化傾向」が誤り。正しくは「**寛大化（厳格化）効果**」である。逆算化傾向とは、評価者が求める最終的な結果から逆算して、評価項目を調整し、つじつまを合わせることによって、実態と評価が一致しなくなること。

正解 2

ワンポイントアドバイス

ハロー効果の「ハロー」とは、キリスト教で聖像の背後にある光、後光のことを言います。ピグマリオン効果は教師期待効果とも言われます。この2つはよく出題されるので説明できるようにしておきましょう。

問題4 教育評価④

次の記述の空欄［ア］と［イ］に当てはまるものの組合せとして最も適切なものを１～５から一つ選びなさい。

ローゼンタールが小学生に行った実験では、教師が「知的に伸びる子」と信じて教えた子どもは、他の残りの子どもよりも実際に成績がよかった。この教師期待効果を、彼は［ア］と名付けた。一方で、これとは逆に、教師の子どもへの否定的な見方によるマイナスの効果もある。これは、［イ］とよばれるものである。

1	ア	ハロー効果	イ	ホーソン効果
2	ア	ハロー効果	イ	ゴーレム効果
3	ア	ピグマリオン効果	イ	ゴーレム効果
4	ア	ピグマリオン効果	イ	ハロー効果
5	ア	ホーソン効果	イ	ピグマリオン効果

学習日 ／ ／ ／

解答解説

アの正解である**ピグマリオン効果**とは、「この生徒は成績が上がるだろう」と教師が期待を持つと実際にそうなることを指す（**教師期待効果**）。アメリカの教育心理学者ロバート・ローゼンタールとフォードが行った実験により、ローゼンタール効果とも呼ばれる。

イの正解である**ゴーレム効果**は、ピグマリオン効果と逆の概念を表す。**他者に期待されないことによってパフォーマンスが低下してしまう心理効果**である。

補足

・ハロー効果
対象者の一部の特徴的な印象に引きずられて、全体の評価をしてしまう効果のこと。

・ホーソン効果
「人の期待に応えたい」「他者に良く見られたい」など、人からの注目が原動力となって、学習やスポーツなどの場面でいい結果を出せること。

正解 3

ワンポイントアドバイス

評価を歪める要因として、ピグマリオン効果とハロー効果は頻出問題です。他にも間違えやすい要因があるので確認しておきましょう。

問題5 教育評価⑤

次の記述は、完全習得学習を提唱したブルームによって分類された評価の３類型である。その名称の組合せとして適切なものを１～５から一つ選びなさい。

A　学習指導の過程で行う評価。児童生徒の理解の度合いや進行状況を把握するために行う。学習困難の発見やその原因を把握するために何度も行う必要があるとして、ブルームが最も重要視した。
B　学習指導の終了時（単元末、学期末、学年末）に行う評価。最終的な学習到達度の判定を目的とする。
C　学習指導開始前に行う評価。最も効果的に学習できるよう、学習指導前に実施し、最適な指導計画や手法を決定していくために行う。

ア　総括的評価　イ　診断的評価　ウ　形成的評価

1　A　ア　B　イ　C　ウ
2　A　ア　B　ウ　C　イ
3　A　イ　B　ア　C　ウ
4　A　ウ　B　ア　C　イ
5　A　ウ　B　イ　C　ア

学習日　／　／　／

解答解説

ブルームは、教育評価を学習終了後だけでなく、学習のそれぞれの過程で繰り返し行うことで、学習者の大部分が学習目標を達成できると考えた。これを**完全習得学習**、または**マスタリー・ラーニング**という。

正解 4

ワンポイントアドバイス

教育評価に関する問題は、アメリカの心理学者、ブルームが提唱した「マスタリーラーニング（完全習得学習）」が頻出です。教育現場においても重要視される評価なので、しっかりと理解しておきましょう。

問題6 性格①

次のａ～ｃは、性格に関する理論について述べたものである。それぞれに関係の深い人物を語群から選ぶとき、正しい組合せとなるものを解答群から一つ選びなさい。

ａ　胎児の胚葉の発達にみられる特徴に基づき、体型を外胚葉型、内胚葉型、中胚葉型に分類し、それぞれ、頭脳緊張型（控えめ、神経過敏）、内臓緊張型（社交的、協調的）、身体緊張型（闘争的、大胆）と称される三つの気質に対応するという考え。

ｂ　人間の心は、イド（エス）、自我（エゴ）、超自我（スーパー・エゴ）の三つの領域から構成されており、各領域間の力関係の均衡が保たれることによって健全な精神状態が維持されるという考え。

ｃ　パーソナリティは上位から「類型」「特性」「習慣的反応」「特殊反応」という４層構造をなしており、「類型」は二つの基本的因子（外向－内向、情緒の安定－不安定）からなるという考え。

【語　群】
ア　シェルドン　　イ　クレッチマー　　ウ　フロイト
エ　キャッテル　　オ　シュプランガー　　カ　アイゼンク

【解答群】
1	ａ－ア	ｂ－ウ	ｃ－オ	2	ａ－ア	ｂ－ウ	ｃ－カ
3	ａ－ア	ｂ－エ	ｃ－オ	4	ａ－ア	ｂ－エ	ｃ－カ
5	ａ－イ	ｂ－ウ	ｃ－オ	6	ａ－イ	ｂ－ウ	ｃ－カ
7	ａ－イ	ｂ－エ	ｃ－オ	8	ａ－イ	ｂ－エ	ｃ－カ

学習日　／　／　／

解答解説

a　胎生期の胚葉発達を観察して、どの部位が特に発達しているかによって気質の分類をしたのは**シェルドン**である。

b　人の心が「イド」「自我」「超自我」の３種類の機能から成り立つ心的装置であると捉えたのは**フロイト**である。

c　**パーソナリティの４層構造**を唱えたのは**アイゼンク**である。外向性内向性尺度、神経症的傾向尺度、精神病的傾向尺度の因子によるアイゼンク性格検査を考案した。

補足

・クレッチマーは体格や体型の違いによって性格類型論を提唱した。
・キャッテルは因子分析という統計解析を用いて、４つの次元の特性論を提唱した。
・シュプランガーは人格形成の要因を６種類の価値観に分類し、価値類型論を提唱した。

正解 2

ワンポイントアドバイス

性格理論では類型論と特性論の２つに分かれます。２つの型の違いと、それぞれの理論を唱えた人物を整理しておきましょう。

問題7 性格②

心理検査に関する記述として適切なものを1～5から一つ選びなさい。

1．P-Fスタディは、被検査者に人物を含んだ多義的な絵を見せてその絵に関する物語を想像させ、その内容を分析して、人格特性や内的状態を診断する検査で、精神医学の診断方法としてだけでなく、犯罪学、産業心理学などの分野にまでも用いられている。
2．矢田部・ギルフォード性格検査は、左右対称のインクのしみの図版10枚を1枚ずつ提示し、何に見えるかを問い、その反応を分析して、人格を多面的に診断する検査で、代表的な投影法の心理検査として用いられている。
3．ロールシャッハ・テストは、12の下位尺度ごとに10問、合計120問の質問項目から構成され、特性論的な解釈だけでなく、類型論的な評価も可能な検査で、比較的容易に実施でき、信頼性も高く、臨床や教育などの分野で用いられている。
4．内田・クレペリン精神検査は、被検査者に一定の時間で隣り合う二つの1桁の数字を連続加算する作業をさせ、その結果から得られる作業曲線を評価し性格の特徴を判定する検査で、人材の採用や適正配置などに用いられている。
5．TATは、二人の人物の不完全な対話で構成される欲求不満場面を絵で示し、被検査者に対話を完成させることによって、人格特性を明らかにする検査で、児童用、青年用、成人用のそれぞれに日本版があり、臨床場面で用いられている。

学習日 ／ ／ ／

解答解説

1　×　P－Fスタディの内容ではないので誤り。P－Fスタディは「**絵画欲求不満テスト**」とも呼ばれる、性格傾向を判断する検査である。日常的な会話でよく経験するような、欲求不満場面を描いた絵を被験者に見せて、その反応によって無意識的な攻撃性の型とその方向性を判断する。よって肢文５がこの検査内容を示している。

2　×　矢田部・ギルフォード性格検査の内容ではないので誤り。**矢田部・ギルフォード性格検査**（YG性格検査）は、12の尺度からその人の性格特性を詳細に表す「**プロフィール表**」を作る検査である。よって肢文３がこの検査内容を示している。

3　×　ロールシャッハ・テストの内容ではないので誤り。**ロールシャッハ・テスト**は、左右対称のインクのシミを使って、それが何に見えるかを被験者に問い、その反応を分析する検査方法である。代表的な心理検査で、パーソナリティを多面的に評価できる。よって肢文２がこの検査内容を示している。

4　○　肢文の通り、正しい。

5　×　TATの内容ではないので誤り。TATは、多様な受け取り方ができる「**30の図版と１枚の白紙**」を使ってパーソナリティを明らかにする心理検査である。被験者にはこの図版から何枚かを見せて、それぞれの物語を作ってもらう。よって肢文１がこの検査内容を示している。

正解　4

ワンポイントアドバイス

性格検査は検査の種類、考案者や特徴、得られる結果を整理しておきましょう。

問題8 性格③

心理検査に関する記述として適切なものを1～5から一つ選びなさい。

1 ロールシャッハ・テストでは、10枚のインクの染みが描かれた左右対称の図版を1枚1枚被検者に提示して、何に見えるか質問する。このテストで示される色彩反応と運動反応の出現の比率によって体験型を捉えることができ、色彩反応は内的刺激に対する感受性を反映し、運動反応は外界の刺激に対する反応性を示す。

2 P-Fスタディでは、二人の人物が描かれている、日常生活において経験するような幸福そうな場面の絵を被検者に提示し、絵の中の人物のせりふに対してどのように反応するかを記述させる。積極的な反応の優位性が示された普段はおとなしい被検者は、潜在的な活動性をもっており、普段はその活動性を自分の内面に抑圧している可能性が考えられる。

3 文章完成テストでは、未完成の文章を刺激素材として、そこから連想される内容を記述し、文章を完成させる。被検者のパーソナリティに関して、環境適応に必要な能力を知的側面として測定し、論理的な考え方や現実に即した考え方ができるか否か、どの程度先を見通す能力を備えているのかなどが評価される。

4 バウム・テストでは、被検者に樹木の絵を描かせ、バウムの全体的印象、空間領域、筆跡、バウムの形態の4側面から分析を行う。例えば、空間領域に関して、冠幹移行線が高い位置にあり、幹が長く、小さい冠部のバウムは、被検者の完成への欲求、野心、自己への執着、強い成就欲求を示している。

5 HTPテストでは、被検者に家屋、樹木、人物を紙に描かせる。家屋画には、心理、社会的水準という表面的なところでの被検者の適応度が投影され、樹木画には、基本的、永続的なより深い心の中の自己への態度が示され、人物画には、家族関係と家庭生活についての態度や感情が表れる。

学習日 ／ ／ ／

解答解説

1　×「色彩反応は内的刺激に対する感受性を反映し、運動反応は外界の刺激に対する反応性を示す」が誤り。ロールシャッハ・テストは感受性や反応性を見るテストではない。正しくは「**色彩反応、運動反応、形態反応、陰影反応の出現比率によって**」体験型を捉える。形態反応は感情の遅延や統制を、陰影反応は感受性や愛情欲求を反映しているとされている。

2　×「二人の人物が描かれている、日常生活において経験するような幸福そうな場面の絵を被検者に提示し」が誤り。正しくは「**欲求不満場面が描かれたイラスト**」を提示して、その反応を分析するテスト。「絵画欲求不満テスト」とも呼ばれる。

3　○　肢文の通り、正しい。

4　×「小さい冠部のバウムは、被検者の完成への欲求、野心、自己への執着、強い成就欲求を示している」が誤り。問題にあるような木の冠部を描いたケースは、「**被験者の大人になりきれない精神面の未熟さ**」を表している。バウムとはドイツ語で木を意味する。

5　×「家屋画には、心理、社会的水準という表面的なところでの被検者の適応度が投影され」が誤り。正しくは、家屋画は「**家庭環境や家族に対する態度や感情**」を表している。「人物画には、家族関係と家庭生活についての態度や感情が表れる」が誤り。正しくは、人物画は「**心理、社会的水準という表面的なところでの被検者の適応度が投影され**」ている。つまり人物画は、自己像、重要な人物や人間全体に対するイメージ、対人関係などを見るものとされている。

正解 3

ワンポイントアドバイス

検査内容が似通っているものや、同じ内容でありながら別の名前の検査もあるので、正式名称や略称も整理しておさえておきましょう。

問題9 性格④

次の各文は、パーソナリティ測定のテスト法を考案した人物に関する記述である。空欄A～Cに、下のア～カのいずれかの人名を入れてこれらの文を完成させる場合、正しい組合せはどれか。1～5から一つ選びなさい。

・［A］は、他人から被害・攻撃を受けた場面、欲求不満が喚起される場面などがイラストで示され、被験者は空白の吹き出しが描かれている人物の発言を連想し、吹き出し中に記入することで、欲求不満場面での被験者の無意識的な葛藤処理の傾向を明らかにする絵画欲求不満検査（P－Fスタディ）を考案した。
・［B］は、人間的な営み・体験を示唆する絵を被験者に示し、その絵から、登場人物の欲求（要求）、そしてその将来を含めた物語を構成させ、空想された物語の内容から被験者のおもに欲求の体系を明らかにする主題統覚検査（TAT）を考案した。
・［C］は、「私は子どものころ…」というような、未完成の文章の後半を、自分が連想した通りに記入することで文章を完成させ、比較的浅い前意識レベルを明らかにする文章完成検査（SCT）を考案した。

ア　ローゼンツァイク（Rosenzweig, Saul）　イ　マレー（Murray, Henry Alexander）　ウ　アイゼンク（Eysenck, Hans Jurgen）　エ　シュプランガー（Spranger, Eduard）　オ　キャッテル（Cattell, Raymond Bernard）　カ　エビングハウス（Ebbinghaus, Hermann）

	A	B	C
1	オ	イ	エ
2	ア	イ	エ
3	オ	ウ	カ
4	ア	ウ	カ
5	ア	イ	カ

学習日 ／ ／ ／

解答解説

A　正解はアの**ローゼンツァイク**である。彼が考案した**P－Fスタディ**は、フラストレーションを感じる場面でどのような反応を示しやすいかを確認し、対人場面における適応性・攻撃性を分析する検査である。

B　正解はイの**マレー**である。彼の考案した**主題統覚検査**（TAT）とは、被験者の無意識レベルのパーソナリティ（性格傾向）を測定する検査である。

C　正解はカの**エビングハウス**である。彼の考案した**文章完成検査**（SCT）は、知能検査の一部として用いられた。被験者のパーソナリティをはじめ、能力、生活環境などを査定する心理検査である。

補足

・アイゼンクは性格や人格を、内向性－外向性、神経症傾向の２次元、あるいは精神病傾向を加えた３次元で表現した「特性論」や、モーズレイ性格検査（MPI）で知られている。
・シュプランガーは性格や人格（パーソナリティ）を、価値観の違いによって、合計６つの類型（タイプ）に分類した類型論を提唱した。
・キャッテルは、パーソナリティの特性を因子分析し、16PF（16パーソナリティ因子質問紙）という性格検査を作成した。

正解 5

ワンポイントアドバイス

性格の理論では、類型論、特性論、フロイトの性格理論とまんべんなくおさえることが必要です。性格検査は、代表的な検査内容を具体例とともに整理しておきましょう。

問題10 適応①

次のア～オの記述のうち、マズローの欲求階層説について正しく述べているものの組合せとして、最も適切なものを１～５から一つ選びなさい。

ア　最も低次の欲求は「安全の欲求」であり、安全性、よい健康状態の維持など、予測可能で秩序だった状態を得ようとする欲求のことをいう。
イ　「所属と愛情の欲求」とは、人に愛されたい、仲間がほしいという欲求であり、これが満たされないと非社会的・反社会的行動を引き起こす可能性がある。
ウ　マズローは、人間の欲求は低次の欲求が満たされていなくても、年齢が上がるに伴って高次の欲求が順に現れると提言している。
エ　低次の欲求は欠乏欲求とよばれ、一般に他者によって実現されるものであり、高次の欲求は、成長したいという動機づけによって行動に駆り立てられるものであると考えられている。
オ　最も高次の欲求は「自立の欲求」であり、自分の可能性を発揮し、具現化したいという欲求のことをいう。

1　ア　と　イ
2　ウ　と　エ
3　イ　と　エ
4　ア　と　オ
5　ウ　と　オ

学習日　／　／　／

解答解説

ア　×「安全の欲求」が誤り。**最も低次の欲求は**、生命を維持するための「**生理的欲求**」である。

イ　○　肢文の通り、正しい。

ウ　×「低次の欲求が満たされていなくても」が誤り。マズローは、**低次の欲求が満たされるごとに、もう１つ上の欲求をもつようになる**としている。

エ　○　肢文の通り、正しい。

オ　×「自立の欲求」が誤り。最も高次の欲求は、自分にしかできないことを成し遂げたい、自分らしく生きていきたいという「**自己実現の欲求**」とされている。

正解 3

ワンポイントアドバイス

適応と不適応に関する分野は、マズローの「欲求の階層構造説」が頻出です。低次から高次の欲求まで、段階を追って理解しておきましょう。

問題11 適応②

次は、マズローの欲求階層説について述べた文章である。文章中の[①]、[②]にあてはまる語の組み合わせとして最も適切なものを1～4から一つ選びなさい。

> 欲求について、マズローは欲求階層説を唱え、最も低次の[①]欲求から、最も高次の[②]欲求まで、5段階に整理されるとした。ここでは、下位の欲求が部分的にでも満たされて初めて、上位の欲求が生じると考えられている。

1　①　精神的　②　自己尊重
2　①　精神的　②　自己実現
3　①　生理的　②　自己尊重
4　①　生理的　②　自己実現

学習日 ／ ／ ／

解答解説

1　最も**低次の欲求は「生理的」欲求**である。これは生命活動を維持するために不可欠な、必要最低限の欲求である。

2　最も**高次の欲求は「自己実現」欲求**である。これは自分にしかできないことを成し遂げたい、自分らしく生きていきたいという欲求である。

正解　4

ワンポイントアドバイス

マズローの欲求階層説は、多数の自治体で出題されています。間違えやすい用語も使われているので、さまざまな角度から問われても解答できるようにしておきましょう。

問題12 適応③

次のア～エの記述は、適応機制（防衛機制）について述べたものである。ア～エに該当する適応機制（防衛機制）の名称の組合せとして最も適切なものを１～５から一つ選びなさい。

ア　承認したくない欲求や行為に適当な理由を付けて正当化すること。
イ　自己の欲求、感情等を他人のうちにあるものとみること。
ウ　自分の弱点を克服するよりも他の特徴を伸ばすことで、心理的な安定を図ろうとすること。
エ　社会的に容認されない欲求を、社会的に承認される他の形に置き換えること。

1	ア	補償	イ	投射（投影）	ウ	昇華	エ	合理化
2	ア	合理化	イ	投射（投影）	ウ	補償	エ	昇華
3	ア	昇華	イ	合理化	ウ	補償	エ	投射（投影）
4	ア	投射（投影）	イ	昇華	ウ	合理化	エ	補償
5	ア	合理化	イ	補償	ウ	投射（投影）	エ	昇華

学習日　／　／　／

解答解説

ア 「適当な理由を付けて正当化する」のは**合理化**である。

イ 「他人のうちにあるものとみる」のは**投射**（**投影**）である。

ウ 「他の特徴を伸ばす」のは**補償**である。

エ 「他の形に置き換える」のは**昇華**である。

正解 2

ワンポイントアドバイス

適応機制とは、人が欲求不満の状態になったときに、心を安定させるために自分の意思とは関係なく作動する心理的な仕組みのことで、防衛機制とも言われます。多種ある「機制」の名称と具体的な現象を結びつける問題が頻出しています。

問題13 適応④

次の各文は、防衛機制に関する記述である。A～Dの内容と最も関連が強い語句を、それぞれあとのア～クから選ぶ場合、正しい組合せはどれか。1～5から一つ選びなさい。

A　自己の攻撃的感情を抑圧して、相手が自分を攻撃していると思い込むなど、自分にとって認めたくない内的な感情や欲求、考えを無意識的に他者がもっているかのように反応する心のはたらき。
B　学芸会の主役になれなかった生徒が、劇の主役になると、勉強する時間がなくなると言いふらすなど、自分の行動や態度の本当の動機を隠して、もっともらしい理由を意識的に考えて、自らを正当化しようとすること。
C　無能力感・劣等感をカバーしたり、他の望ましい特性を強調したりすることによって、特定の領域の欲求不満を補おうとする心のはたらき。
D　もう幼児ではない子どもが駄々をこねるなど、適応困難な事態で、より幼い発達段階に退却して、その段階で満足を得ようとすること。

ア	昇華	イ	投射（投影）
ウ	合理化	エ	反動形成
オ	補償	カ	同一化
キ	逃避	ク	退行

	A	B	C	D
1	ア	ウ	オ	ク
2	ア	ウ	カ	ク
3	ア	エ	オ	キ
4	イ	ウ	オ	ク
5	イ	エ	カ	キ

学習日　／　／　／

解答解説

A　自分の中の抑圧された感情や願望を、他人が持っていることにして自分を守ろうとする防衛機制は「**投射**（投影）」である。苦手な人に対して、自分が避けているのではなく、相手が自分を避けているのだと認識するようなこと。

B　満たされない欲求や受け入れ難い現実に対して、もっともらしい理由をつけて納得させる防衛機制は「**合理化**」である。

C　失敗したり、劣等感を感じたときに、他の分野で成果を上げて、傷ついた心を埋め合わせる防御規制は「**補償**」である。

D　弟や妹が生まれたことをきっかけに赤ちゃん返りするなど、現在よりも幼い発達段階の自分に戻って、困難を回避しようとする防衛機制は「**退行**」である。

正解 4

ワンポイントアドバイス

教育心理は教員採用試験の中心領域です。出題数は減少していますが、難易度は上がっています。まずは頻出用語をおさえて内容を理解しておきましょう。

問題14 適応⑤

次のア～オは、防衛機制に関わる用語について述べたものである。正しいものを二つ選ぶとき、その組合せを解答群から一つ選びなさい。

ア　投射　　—　抑圧された衝動や感情、欲求と正反対の行動をとり、危険な衝動や感情、欲求が表出するのを防ぐこと

イ　置き換え　—　自分にとって認めたくない内的な感情や欲求、考えを無意識的に他者がもっているかのように反応する心の働きのこと

ウ　反動形成　—　特定の対象への感情を、最初にその感情を引き起こした対象より危険の少ない対象または無害の対象に移しかえて心の緊張状態を解消しようとすること

エ　抑圧　　—　危険な考えや不都合な感情を意識にのぼらないように防ぎ、無意識下に閉じ込めること

オ　退行　　—　適応困難な事態で、より幼い発達段階に退却して、その段階で満足を得ようとすること

【解答群】
1　ア、イ　2　ア、ウ　3　ア、エ　4　ア、オ　5　イ、ウ
6　イ、エ　7　イ、オ　8　ウ、エ　9　ウ、オ　0　エ、オ

学習日　／　／　／

解答解説

ア × 反動形成の内容なので誤り。投射とは、**自分にとって認めたくない感情を、他人が持っているかのような気持ちになること**である。例えば自分はAさんから嫌われていると思い込んでいたが、実は自分がAさんのことを嫌っていたというようなケースがある。

イ × 投射の内容なので誤り。置き換えとは、**人や物事に対する嫌い、怖い、不安感など、さまざまな感情を他の人間や物事に置き換えてしまうこと**である。例えば自分の嫌いな人が身につけているものを別の人が身につけていると、その人まで嫌いになってしまうようなこと。

ウ × アに示された内容が反動形成である。

エ ○ 肢文の通り、正しい。

オ ○ 肢文の通り、正しい。

正解 0

ワンポイントアドバイス

防衛機制については、抑圧、逃避など機制の名称と内容を結びつける問題が頻出しています。防衛機制の名称は自治体によって多少の揺らぎがあるので、具体例を確認しながら内容と名称を結びつけておきましょう。

問題15 適応⑥

次の記述ア・イの下線部は、ある適応機制が表われた場面を示したものである。ア・イと、適応機制に関する記述A～Dとの組合せとして最も適切なものを1～5から一つ選びなさい。

ア　生徒Xは、運動系の部活動に所属しており、選手として活躍していた。ある日、他校との試合において、生徒Xのミスが原因で、チームは敗戦してしまった。試合後の反省会で、生徒Xは「不慣れな試合会場だったし、途中で雨が降ってきていつもの力が出し切れなかった。」と言った。

イ　生徒Yは、数学のテストで100点を取れるかどうかをとても気にしていた。しかし、返却されたテストは残念ながら95点だった。そのとき、98点を取った生徒Zが、100点を取れなかったことを周囲に話し、とても悔しがっていた。それを見た生徒Yは、近くにいた別の生徒に生徒Zの行動を「点数にこだわりすぎでみっともない。」と言った。

A　克服困難な状況に対して合理的な解決を避けること。
B　自分の弱点や失敗に対してもっともらしい理屈づけをすること。
C　欲求不満を生じさせている対象を直接攻撃して、その障壁を取り除くこと。
D　自分のもっている好ましくない特質を他者の中に見出して、それを非難すること。

1　ア－A　イ－C
2　ア－A　イ－D
3　ア－B　イ－C
4　ア－B　イ－D
5　ア－C　イ－D

学習日　／　／　／

解答解説

適応規制とは、不安やストレスにさらされたときや自分の欲求が満たされなかったときに、自分を守るために働く機能のことである。

ア　生徒Xが「不慣れな試合会場だった」「途中で雨が降ってきた」と言っているのは、**自分の失敗に理屈をつけて正当化している**ので、Bの「合理化」に当てはまる。

・合理化：理屈をつけて正当化すること。欲しいものが手に入らないとき、「それはあまりいいものではない」と言い聞かせたり、失敗したときに「失敗は成功のもと」と自分を納得させたりすること。

イ　生徒Yは、100点を取れなかったことが悔しいという気持ちがあるが、他者であるZに対して「点数にこだわりすぎてみっともない」と非難している。これは**自分のストレスを他者に投射する行為**で、Dの「自分の好ましくない特質を他者の中に見出して非難する」に当たる。

・投影・投射：自分の中の認めたくない感情を他人が持っていると思い込むこと。例えば自分の欠点を棚に上げて他人の悪口を言うなど。

正解 4

ワンポイントアドバイス

12歳から22、23歳頃までの青年期には心身の急激な変化が見られ、悩みも複雑化します。青年期の心の状態を象徴するキーワードを軸に、複雑な心の動きや行動を理解しておきましょう。

問題16 心理療法①

次の各文は、カウンセリングや心理療法に関する理論の提唱や研究を行った人物についての記述である。A～Dで述べられているカウンセリングや心理療法を、それぞれあとのア～クから選ぶ場合、正しい組合せはどれか。1～5から一つ選びなさい。

A　ロジャーズ（Rogers, Carl Ransom）が提唱したカウンセリング理論。その基本的特徴は、カウンセラーがクライエントの自助能力を重要視し、それを側面から援助して開発を促すことである。
B　モレノ（Moreno, Jacob levy）が創始した集団心理療法の一技法。これは、即興的演技を通して、患者がカタルシスや自己洞察に導かれ、葛藤状況の克服を学ぶことを目的としたものである。
C　ウォルピ（Wolpe, Joseph）が開発した心理療法。これは、不安や恐怖を治療するための心理療法の一つである行動療法の主要な治療技法で、作成した不安階層表の最も強度の刺激まで一つ一つ段階的に患者に克服させていくものである。

ア　ピア・カウンセリング	イ　非指示的カウンセリング
ウ　心理劇	エ　交流分析
オ　系統的脱感作法	カ　遊戯療法

	A	B	C
1	ア	ウ	カ
2	ア	エ	オ
3	イ	ウ	オ
4	イ	ウ	カ
5	イ	エ	カ

学習日 ／ ／ ／

解答解説

A　ロジャーズが提唱したカウンセリング理論はイの「**非指示的カウンセリング**」である。これはクライエント中心療法とも来談者中心療法とも言われる。カウンセラーは脇役であり、聞き役に徹する心理カウンセリング。

B　モレノが提唱した集団心理療法はウの「**心理劇**」である。個人に焦点をあてる「サイコドラマ」、集団の課題に焦点をあてる「ソシオドラマ」、役割機能の発展を目指す「ロールプレイング」がある。

C　ウォルピが開発した心理療法はオの「**系統的脱感作法**」である。日常生活に支障をきたすようなネガティブな感情に対処し、恐怖感や不安感から段階的に抜け出す方法。

補足

アの「ピア・カウンセリング」は、1970年代初頭のアメリカで始まったカウンセリング。ピアとは「仲間」の意味で、職業や障害など、同じ背景を持つ仲間が対等な立場で話を聞き合うこと。
エの「交流分析」は1950年代にアメリカの精神科医、エリック・バーンによって提唱された。自分と他人との交流パターンに注目して、構造分析、やりとり分析、ゲーム分析、脚本分析などの理論がある。
カの「遊戯療法」は子どもを対象とした、遊戯（遊び）をコミュニケーション手段とする心理療法。子どもが抱える欲求や葛藤を克服する、主体性や能動性などを引き出す、子どもの社会的適応力を育てるなどの目的がある。

正解 3

ワンポイントアドバイス

カウンセリングは児童の心理的な発達を支援する活動です。さまざまな療法の提唱者、技法の種類、分類を整理して押さえておきましょう。

問題17 心理療法②

次のア～オは、心理学に関わる用語について説明したものである。正しいものを三つ選ぶとき、その組合せを解答群から一つ選びなさい。

ア　ホスピタリズム　—　心理的・社会的・物理的刺激の少ない施設や小児科病院に長期間収容される場合に生じやすい乳幼児の心身発達障害。

イ　強化　—　前の学習が新しい事態での学習に影響を与えること。

ウ　高原現象　—　複雑な内容の学習の過程において一時的な停滞が起こる現象。

エ　ピグマリオン効果　—　ある特定人物が望ましい（あるいは望ましくない）特性をいくつかもっていると、他の諸側面についても調査・観察することなしに全て望ましい（望ましくない）と判断しがちな傾向。

オ　ラポール　—　心理療法、催眠、テスト、調査など心理学的面接における、面接者と被面接者の間の信頼関係。

【解答群】
1　ア、イ、ウ　　2　ア、イ、エ　　3　ア、イ、オ　　4　ア、ウ、エ
5　ア、ウ、オ　　6　ア、エ、オ　　7　イ、ウ、エ　　8　イ、ウ、オ
9　イ、エ、オ　　0　ウ、エ、オ

学習日　／　／　／

解答解説

ア　○　肢文の通り、正しい。

イ　×「転移」の説明になっているので誤り。強化とは、**行動の頻度が高まることで、その行動が起こりやすくなる原理や手続き**を表す。例えばお小遣いをもらえたので、ひんぱんにお手伝いをするようになったというケースが「強化」である。

ウ　○　肢文の通り、正しい。

エ　×「ハロー効果」の説明になっているので誤り。ピグマリオン効果とは、**人から期待されることによって、学習や作業などの効率・成果が高まること**をいう。

オ　○　肢文の通り、正しい。

正解 5

ワンポイントアドバイス

2017年に改訂された学習指導要領において、カウンセリングによって児童生徒の発達を支援する旨が明記されました。同年に示された「教職課程コアカリキュラム」では、カウンセリングの意義や理論、技法に関する基礎知識を身に付けることが明記されています。社会的にも必要とされる知識、技術なので、開発者の名前や治療の目的、方法などの詳細をおさえておきましょう。

問題18 心理療法③

次のア～オは、教育心理に関わる用語について述べたものである。正しいものを二つ選ぶとき、その組合せを解答群から一つ選びなさい。

ア　ソシオメトリー　—　カウンセリングや心理査定における面接者と被面接者との間の信頼関係を表す言葉

イ　モラトリアム　—　精神医学者のモレノによって提唱された社会測定法で、集団構造の特徴を明らかにするための理論

ウ　箱庭療法　—　イギリスのローエンフェルトが子どもの遊びに基づいて考案した技法を原型とする心理療法の一つ

エ　ラポール　—　エリクソンが青年期を称して用いた言葉で、大人としての社会的責任や義務を猶予される期間

オ　論理療法　—　誤った思い込みを捨てて、合理的な考え方へ変化していくのを援助することによって行動や感情の問題を改善する心理療法

【解答群】

1　ア、イ	2　ア、ウ	3　ア、エ	4　ア、オ	5　イ、ウ
6　イ、エ	7　イ、オ	8　ウ、エ	9　ウ、オ	0　エ、オ

学習日　／　／　／

解答解説

ア　×　ラポールについての説明なので誤り。ソシオメトリーとは、モレノによって提唱された、**集団の構成員の心理的・感情的な作用に注目した人間関係の測定方法**である。教育現場において、クラスの人間関係を把握し、いじめがあるかどうかなどを把握するために活用されている。

イ　×　ソシオメトリーについての説明なので誤り。モラトリアムとは、エリクソンが提唱した発達心理学の言葉で、社会人となり責任のある立場になること、すなわち**「アイデンティティの確立」を先のばしにする心理的な猶予期間**のことである。もともとは戦争や天災、恐慌が起きたときに社会情勢の混乱を防ぐため、借金の支払い期間に一定の猶予を設けるよう国が法令で定めている措置を指した。

ウ　○　肢文の通り、正しい。

エ　×　モラトリアムについての説明なので誤り。ラポールとはフランス語が語源で、**「調和した関係」「心が通い合う関係」**を意味する。カウンセリングで対話を重ねる中でクライエントとカウンセラーの間に生まれる、リラックスした関係や信頼関係を指す。

オ　○　肢文の通り。正しい。

正解 9

ワンポイントアドバイス

心理療法には、問題文の他に遊戯療法や心理劇療法、ゲシュタルト療法、森田療法、認知療法などがあります。近年、教育相談やスクールカウンセラーに関する注目が集まるとともに、教育現場の学級運営にも必要な知識なのでしっかりと理解しておきましょう。

問題19 学級集団①

ソシオメトリック・テストの説明として適切ではないものを１～４から一つ選びなさい。

1　社会集団が組織化されている程度を測定する道具として定義されている。

2　モレノが創始したソシオメトリーの分析技法として開発された。

3　質問の中で選択が集中する子どもをスターと呼ぶ。

4　「クラスで一番親切な人は誰か」などと質問し、子どもたちの関係や性格・行動特性を知る手がかりとする。

学習日　／　／　／

解答解説

1　○　肢文の通り、正しい。

2　○　肢文の通り、正しい。

3　○　肢文の通り、正しい。

4　×　「クラスで一番親切な人は誰か」と質問する点が誤り。

テストの質問例は「これから旅行に行く班を決めます。一緒に行きたい人を選んでください。その理由を書いてください」など、**対象者に「選択」と「排斥」を回答させるもの**である。「クラスで一番親切な人」という質問は、対象者が選択と排斥を回答できるものではない。

そもそもソシオメトリック・テストは、集団内の個人の相互関係を測定するための技法の一つで、人に対する好意・反発・無関心などを基に人間関係を発見・研究するのに用いる。学校で集団について把握するために、「好きな人と嫌いな人の名前を書いてください」、「一緒に遊びたくない子の実名を書いてください」などのアンケートが実施されて問題視されたことがある。テストを実施する際には、テストを行う人と対象者との間に信頼関係があることや、実施理由をていねいに説明し、対象者に納得してもらうことが求められる。

正解 4

ワンポイントアドバイス

学級集団の名称や内容から、その類型を問う問題が出題されています。学級集団を測定する方法には、ソシオメトリック・テストの他にも同テストを図示したソシオグラムやゲス・フー・テストがあります。テストの名前や類型を覚えるだけでなく、テスト結果をどのように学級運営に活かすべきかを考えておきましょう。

問題20 学級集団②

次の記述は、心理学におけるある用語に関するものである。この用語の名称として適切なものを１～５から一つ選びなさい。

モレノ及び彼の学派によって体系づけられたもので、人間の心理的な相互作用や集団構造の分析のための理論及び測定法のことである。一定の集団のメンバーに対し、他メンバーに対する好悪の感情を質問紙などを用いて調査し、集団のメンバー間にみられる受容（選択）と拒否（排斥）という感情的な結び付きをもとに集団構造を把握する方法である。結果は定量的に分析され、指数や図により示される。現在では、教育的な配慮から、拒否の関係を問わないことが多くなっている。

1　アタッチメント
2　ソシオメトリー
3　ラポール
4　スーパービジョン
5　カタルシス

学習日　／　／　／

解答解説

1　×　アタッチメントとは、「ピタッとくっつく」ことを表し、主に幼少期の子どもと養育者などの相手との間に形成される**愛着の感情**を指す。子どもの正常な発達には不可欠と言われる。

2　○　肢文の通り、正しい。ソシオメトリーとは、アメリカの精神科医、ヤコブ・L・モレノによって提唱された**人間関係を測る科学**で、**その集団がどのような構造をしているか、どのような機能を果たしているかを測定する方法論**である。

3　×　ラポールとは心理学用語で、**相互に信頼しあっている人間関係**を表している。もともとは精神分析の治療において医師と患者との間の、安心して感情の交流ができる状態を指していたが、広く教育現場やビジネススキルとしても注目されるようになった。

4　×　スーパービジョンとは心理療法の技術向上を目指すために、**初心者のカウンセラーが、担当したケースについて、専門家（スーパーバイザー）に意見や指導を求めること**。近年は精神医学や心理学にとどまらず、福祉、教育、介護などの分野で一般的な教育法となっている。

5　×　カタルシスとは古代ギリシャ語で、精神の浄化や排泄を意味する。心理療法では相談者がカウンセラーに対して**悩みや苦痛を吐き出して、心の中のモヤモヤが晴れて不安や緊張が緩和されるような状態**を指す。

正解 2

ワンポイントアドバイス

それぞれ異なる人間関係で構成される学級集団を理解することは、学級運営をする上で非常に重要です。集団の特徴や学級内の人間関係を測定するさまざまな方法論や心理検査について押さえておきましょう。

問題21 学級集団③

次の記述ア・イは、集団におけるリーダーシップに関するものである。ア・イと、これらの研究を行った人物A～Cとの組合せとして適切なものを1～5から一つ選びなさい。

ア　集団の目標達成ないし課題解決へ志向した機能をP（Performance）機能、集団の過程維持に志向した機能をM（Maintenance）機能と命名し、P機能次元、M機能次元それぞれにおける測定値を基に、リーダーシップの基本類型として、PM型、Pm型、pM型、pm型の4類型に分類した。これら4類型の効果性は多くの組織や教育機関等において吟味され、PM型のリーダーのとき、部下集団の生産性や、成員の仕事に対する動機づけが相対的に最も高いことが一貫して見いだされてきた。

イ　リーダーの指導スタイルとして「専制的リーダー」「民主的リーダー」「放任的リーダー」の三つを設定して、そのようなリーダーの下での集団の作業の量と質及び集団の雰囲気を観察した。その結果は、民主的なリーダーの下では能率的で集団の雰囲気もよく、専制的なリーダーの下では作業量は多いが意欲に乏しく、放任的なリーダーの下では非能率的で意欲も低いというものだった。

A　三隅二不二
B　フィードラー
C　レヴィン

1　ア－A　イ－B
2　ア－A　イ－C
3　ア－B　イ－A
4　ア－B　イ－C
5　ア－C　イ－A

学習日　／　／　／

解答解説

ア　リーダーが取るべき行動に着目した行動理論の代名詞と言われる、**三隅二不二**（みすみじふじ）の「**PM理論**」について述べている。これはリーダーシップの行動を「P:performance（目標達成機能）」を重視するか、「M:maintenance（集団維持機能）」を重視するかという、PとMの２つの軸で定義したもの。三隅二不二は昭和から平成時代の社会心理学者。

イ　リーダーシップを「**専制的リーダーシップ**」「**民主的リーダーシップ**」「**放任的リーダーシップ**」の三つに分類した、**レヴィン**の三分類について述べている。クルト・レヴィンは、ゲシュタルト心理学を社会心理学に応用した「社会心理学の祖」とも呼ばれる。

補足

フィードラーはアメリカの社会心理学者。「リーダーシップ」とはリーダーが持つ固有の特性ではなく、状況に応じて行動を適切に変える特性であるという**コンティンジェンシー理論**（contingency model）を提唱した。和訳すると条件即応モデルで、それぞれの状況に合わせてどう振る舞うのがリーダーとして効果的なのかを示した指針である。

正解 2

ワンポイントアドバイス

三隅二不二の「PM理論」は頻出問題です。特に図が出題されるので、ポイントを整理しておきましょう。さまざまなリーダーシップの類型論を整理すると同時に、集団内で起こるさまざまな現象について学んでおくといいでしょう。

問題1 西洋教育史①

次の文の（　　）に入る人物名として正しいものを1～4から一つ選びなさい。

> 古代ギリシャの哲学者であった（　　）は、哲学者による政治の支配を構想し、アカデメイアと呼ばれる学校を設立した。彼の教育論は、その著書「国家」に記述されている。

1　プラトン　　2　ソクラテス　　3　アリストテレス　　4　プロタゴラス

学習日 ／ ／ ／

解答解説

アカデメイアと呼ばれる学校を設立したのは古代ギリシャの哲学者、**プラトン**である。アカデメイアは英語の「アカデミー」の語源となった。この学園にはアリストテレスも学んだ。のちにアリストテレスはプラトンのイデア論を批判し、独自に学園リュケイオンを設立した。プラトンの著書『国家』は、国家論、イデア論、教育論などについて、架空の対話形式で書かれている。

補足

・ソクラテスは古代ギリシャの哲学者。西洋哲学の基礎を築いた。
・**アリストテレス**はアカデメイアに入門して、ソクラテスの弟子となった。
・プロタゴラスは古代ギリシャの哲学者。「**人間は万物の尺度である**」という言葉が有名。

正解 1

ワンポイントアドバイス

古代・中世の教育史では、ソクラテス、プラトン、アリストテレスの三大哲学者について出題されます。彼らの思想と著書名を結びつけておきましょう。

問題2 西洋教育史②

次の⑴～⑶は、古代ギリシアの教育について述べたものである。（　a　）～（　c　）内に当てはまるものを語群から選ぶとき、正しい組合せとなるものを解答群から一つ選びなさい。

⑴　ソクラテスの問答法とは、相手と共同で問いと答えを繰り返しながら、相手に（　a　）を自覚させて、それを出発点に真の知恵を発見させようとする真理の探究方法である。

⑵　プラトンは、理想国家を説き、国家を統治者階級・防衛者階級・生産者階級の三つに分け、それらの分業が正しく行われれば国家が秩序のある正しい状態になって正義と幸福が実現するとした。そのためには善のイデアを認識した哲学者が統治する（　b　）が必要であると説いた。

⑶　アリストテレスは、『政治学』（講義録）において、「人間は（　c　）的動物である」とし、（　c　）は人間の生存に必要な条件を完全に満たす自足的な共同体とした。

【語　群】
ア　矛盾　　イ　無知　　ウ　哲人政治
エ　貴族政治　　オ　ポリス　　カ　リュケイオン

【解答群】
1　a－ア　b－ウ　c－オ　　2　a－ア　b－ウ　c－カ
3　a－ア　b－エ　c－オ　　4　a－ア　b－エ　c－カ
5　a－イ　b－ウ　c－オ　　6　a－イ　b－ウ　c－カ
7　a－イ　b－エ　c－オ　　8　a－イ　b－エ　c－カ

学習日　／　／　／

解答解説

⑴ **ソクラテス**の問答法とは、相手と共同で問いと答えを繰り返しながら、相手に「**無知**」を自覚させて、それを出発点に真の知恵を発見させようとする真理の探究方法である。

⑵ **プラトン**は、善のイデアを認識した哲学者が統治する「**哲人政治**」が必要であると説いた。哲人が王となるか、王が哲人とならなければ実現できない政治であるとしている。

⑶ **アリストテレス**は『政治学』において、「**人間はポリス的動物である**」としている。ポリスとは、古代ギリシャの都市国家を指す。

正解 5

ワンポイントアドバイス

古代・中世の教育史からは、ソクラテス、プラトン、アリストテレスの三大哲学者についておさえておきましょう。また、ポリス（都市国家）に関わる出題も多く、特にスパルタとアテネの教育が重要です。

問題3 西洋教育史③

次の各文は、教育に関係のある人物についての記述である。空欄A～Cに、あとのア～カのいずれかの人名を入れてこれらの文を完成させる場合、正しい組合せはどれか。1～5から一つ選びなさい。

・ A は、フランスの思想家であり、『エミール』において、子どもに自然の善性を認め、それを文明社会の悪影響から守り育てようとする教育理念を主張した。
・ B は、イギリスの哲学者であり、人間の心は白紙のようなものであるが、そこに刺激を与えて望ましい観念を形成していく営みが教育であると考えた。
・ C は、ドイツの教育学者であり、教育制度の改革に着手し成果をあげ、『公民教育の概念』において、社会に貢献できる青年の育成について論述した。

ア　フィヒテ（Fichte, Johann Gottlieb）
イ　ルソー（Rousseau, Jean-Jacques）
ウ　デューイ（Dewey, John）
エ　ロック（Locke, John）
オ　ケルシェンシュタイナー（Kerschensteiner, Georg Michael）
カ　フレーベル（Fröbel, Friedrich Wilhelm August）

	A	B	C
1	ア	ウ	カ
2	ア	エ	カ
3	イ	ウ	オ
4	イ	ウ	カ
5	イ	エ	オ

学習日 ／ ／ ／

解答解説

A　イの**ルソー**が正しい。

B　エの**ロック**が正しい。

C　オの**ケルシェンシュタイナー**が正しい。

ア　フィヒテはドイツの哲学者で、ドイツ観念論の代表者の一人。ナポレオン率いるフランス軍占領下のベルリンで行った講演「ドイツ国民に告ぐ」が有名。ベルリン大学創設とともに教授に就任し、初代総長となった。ベルリン大学、イエナ大学において『知識学』の講義を何度も行った。

ウ　デューイはアメリカの哲学者、教育学者。プラグマティズム（実用主義）の代表的思想家である。それまでのヨーロッパで一般的だった、日常からかけ離れた抽象的な哲学ではなく、日常生活に密着し、経験から論じられるアメリカ的な思想である。著書に『学校と社会』『哲学の改造』『人間性と行為』などがある。

カ　フレーベルはドイツの教育学者であり、世界で初めて幼稚園を創設した。英語の「キンダーガーデン（幼稚園）」はフレーベルが作った言葉である。積み木を用いた教育遊具を考案・製作し、現代の遊びを中心とする幼児教育の礎を築いた。著書に『人間の教育』『幼稚園教育学』がある。

正解 5

ワンポイントアドバイス

西洋の近代教育史は出題頻度が高い単元です。18世紀の啓蒙主義による教育、18世紀後半の新人文主義の教育、そして市民革命期の教育それぞれに教育論を提唱した主要人物がいます。その思想と特徴を時代の流れに合わせて理解しておきましょう。

問題4 西洋教育史④

世界の教育史について述べた文として正しいものを、次の1～4の中から1つ選びなさい。

1　「近代教育思想の始祖」、また「子どもの発見者」として知られるルソーは、「人間は教育によってつくられる」とし、その教育は、「自然」「人間」「事物」の三者から成るものと述べている。
2　ヘルバルトは、「大教授学」の序論では、「教授のない教育などというものの存在を認めないしまた逆に、少なくともこの書物においては、教育しないいかなる教授も認めない」と述べ、実践的な科学的教育学の樹立を目指した。
3　パーカーストは、児童中心の教育原理のうえに、児童の個人差に着目し学校組織と教育方法を考案した。ウィネトカ・プランと呼ばれる学校組織は、今日のオープン・スクールの先駆的なものということができる。
4　ペスタロッチは、シカゴ大学に付属実験学校（小学校）を開設し、人間精神の発達についての実験を行った。ここでの3回の講演の記録が「学校と社会」である。

学習日 ／ ／ ／

解答解説

1　○　肢文の通り、正しい。

2　×「ヘルバルトは」が誤り。**『大教授学』**を著したのは**コメニウス**である。『大教授学』の冒頭には「あらゆる人に、あらゆる事柄を教授する普遍的な技法を提示する」と述べられている。

ヘルバルトが著した『一般教育学』は、教育を初めて学問として樹立した書である。

3　×「パーカーストは」が誤り。**ウィネトカ・プラン**を創始したのは、当時米イリノイ州ウィネトカの教育長を務めていた**ウォッシュバーン**である。

パーカーストが提唱したのは、米マサチューセッツ州ドルトンのハイスクールで行ったドルトン・プランである。

4　×「ペスタロッチは」が誤り。シカゴ大学に附属実験学校を開設し、**『学校と社会』**を著したのは**デューイ**である。

ペスタロッチはスイス、イベルドン孤児院の学長を務め、『隠者の夕暮』を著した。

正解 1

ワンポイントアドバイス

近代の西洋教育は、教育が組織的・体系的になった時代であり、出題頻度が高い単元です。欧米で確立しつつあった公教育制度の流れと併せて、教育家、哲学者などが著した著書、思想をおさえておきましょう。

問題5 西洋教育史⑤

次のア～オは、西洋教育史に関わる人物について述べたものである。正しいものを二つ選ぶとき、その組合せを解答群から一つ選びなさい。

ア　ロックは、『一般教育学』を著し、品性を陶冶するうえで訓練、管理、教授の大切さを説いた。さらに教授の進行過程を、明瞭、連合、系統、方法の四段階に区分して説明した。

イ　モンテーニュは、『大教授学』を著し、当時教育の機会を与えられていなかった人を含め、あらゆる人間に対して教育の機会均等の理念を示した。

ウ　ベーコンは、『新機関』の中で、実験の集積によって一歩一歩真理を明らかにしていく帰納法を提唱した。

エ　ルソーは、聖書を初めてドイツ語に訳し、真のキリスト者の形成には、聖書を読む能力を全民衆のものにすることが必要であると考えた。主な著書に『小教理問答書』がある。

オ　フレーベルは、万有在神論に基づいて『人間の教育』を著した。その後幼児教育への関心を深め、「恩物」と呼ばれる教育遊具を考案し、「一般ドイツ幼稚園」を創設した。

【解答群】
1　ア、イ　2　ア、ウ　3　ア、エ　4　ア、オ　5　イ、ウ
6　イ、エ　7　イ、オ　8　ウ、エ　9　ウ、オ　0　エ、オ

学習日　／　／　／

解答解説

ア　×　**『一般教育学』**を著し、教育学を学問として確立したのは**ヘルバルト**である。

イ　×　**『大教授学』**を著し、「あらゆる人に、あらゆる事柄を教授する普遍的な技法を提示する」と述べたのは**コメニウス**である。

ウ　○　肢文の通り、正しい。ベーコンの『ノヴム＝オルガヌム（新機関）』は、自然哲学を神学から切り離した書である。

エ　×　全世界のルター派教会の信仰の基準となった**『小教理問答書』**を著したのは、ドイツの神学者**ルター**である。

オ　○　肢文の通り、正しい。日本における一般ドイツ幼稚園（キンダーガーデン）の発足は1876年である。学校教育法第22条によると、幼稚園は「幼児を保育し、幼児の健やかな成長のために適当な環境を与えて、その心身の発達を助長することを目的とする」小学校就学前教育機関である。

正解 9

ワンポイントアドバイス

西洋教育史における近代とは、子どもの人間性を基本とする考え方が生まれ、幼児教育や初等教育が拡充した時代です。出題頻度が高い単元なので、人名や著作、その時代の教育制度をしっかりチェックしておきましょう。

問題6 西洋教育史⑥

次のア～エの人物とそれぞれの著書の組合せとして最も適切なものを1～5から一つ選びなさい。

ア　ペスタロッチ
イ　ケイ
ウ　ルソー
エ　デューイ

1	ア	隠者の夕暮	イ	児童の世紀	ウ	エミール	エ	学校と社会
2	ア	児童の世紀	イ	隠者の夕暮	ウ	エミール	エ	教育に関する考察
3	ア	エミール	イ	隠者の夕暮	ウ	児童の世紀	エ	教育に関する考察
4	ア	隠者の夕暮	イ	児童の世紀	ウ	エミール	エ	教育に関する考察
5	ア	エミール	イ	児童の世紀	ウ	隠者の夕暮	エ	学校と社会

学習日　／　／　／

解答解説

ア　スイスの教育者、**ペスタロッチ**の著書は**『隠者の夕暮』**である。

イ　**エレン・ケイ**は幼児教育の大切さを説いた、スウェーデンの教育家。著書は**『児童の世紀』**である。

ウ　**ルソー**が著した教育論は**『エミール』**である。

エ　プラグマティズム（実用主義）を大成したことで知られる**デューイ**。教育学者として有名な著書は**『学校と社会』**である。

補足

・紳士の教育に関して書かれた『教育に関する考察』を著したのは、イギリスの哲学者ジョン・ロックである。

正解　1

ワンポイントアドバイス

古代から現代までの西洋教育史における、重要な人物とその著書は、歴史の流れと共にチェックしておきましょう。

問題7 西洋教育史⑦

次の（ア）～（エ）とそれぞれの著書の組合せとして最も適切なものを１～４から一つ選びなさい。

(ア) ルソー
(イ) コメニウス
(ウ) デューイ
(エ) オーエン

1	(ア)エミール	(イ)大教授学	(ウ)学校と社会	(エ)児童の世紀
2	(ア)大教授学	(イ)学校と社会	(ウ)児童の世紀	(エ)社会に関する新見解
3	(ア)エミール	(イ)大教授学	(ウ)学校と社会	(エ)社会に関する新見解
4	(ア)大教授学	(イ)学校と社会	(ウ)社会に関する新見解	(エ)児童の世紀

学習日 ／ ／ ／

解答解説

ア　**ルソー**はフランスの思想家。代表作**『エミール』**は、近代教育学の古典の一つである。

イ　**コメニウス**はチェコの教育思想家。代表作**『大教授学』**は、近代的学校思想の先駆となった。絵入りの語学教科書**『世界図絵』**も有名。

ウ　**デューイ**はアメリカの哲学者。シカゴ大学実験学校を創始した。著書**『学校と社会』**では「学校は受動的な学習の場ではなく、子どもたちが自発的な社会生活を営む小社会でなければならない」と述べている。

エ　**オーエン**はイギリスの社会主義者、実業家。教育論として著された**『社会に関する新見解』**は、性格は環境によって決定されるという「性格形成原理」が核となっている。

正解 3

ワンポイントアドバイス

近世の教育は、14世紀のルネサンス（文芸復興）から始まります。この時期に誕生した人文主義（ヒューマニズム）は、教育にも大きな影響を与えています。西洋思想史と併せて教育を読み解くと、理解が深まります。

問題8 西洋教育史⑧

次の各文は、教育に関係のある人物についての記述である。空欄A～Cに、下のア～カのいずれかの人名を入れてこれらの文を完成させる場合、正しい組合せはどれか。1～5から一つ選びなさい。

・［A］は、アメリカの教育学者で、デューイ（Dewey, John）の影響を受けて児童中心主義の思想を固めた。また、目的、計画、実行、結果の検討という一連の課程を設定し、教育の役割は生徒自らが問題を立て、批判的に検討を加えてその問題の解決に至るよう導くことであると主張した。

・［B］は、アメリカのマサチューセッツ州ドルトン市のハイスクールにおいて1920年に初めてドルトン・プランと呼ばれる新しい指導法を実施した。

・［C］は、「近代教授学の祖」と呼ばれ、体系的教育論の金字塔といえる『大教授学』や史上初とされる絵入り教科書『世界図絵』の著者として知られる。

ア　キルパトリック（Kilpatrick, William Heard）
イ　フレーベル（Fröbel, Friedrich Wilhelm August）
ウ　パーカースト（Parkhurst, Helen）
エ　ブルーナー（Bruner, Jerome Seymore）
オ　ペスタロッチ（Pestalozzi, Johann Heinrich）
カ　コメニウス（Comenius, Johann Amos）

	A	B	C
1	イ	ウ	オ
2	ア	ウ	カ
3	ア	エ	カ
4	イ	エ	カ
5	ア	エ	オ

学習日　／　／　／

解答解説

A　デューイの影響を受けた**キルパトリック**はアメリカの教育学者。彼の考案したプロジェクト・メソッドは問題解決型学習を発展させた教育法。問題解決の過程として目的（目的設定)、計画、実行、結果の検討（評価）の４段階を設定し、自主的な学習態度や社会性を養おうとする学習方法。

B　**ドルトン・プラン**を実施したのは**パーカースト**である。

C　**『大教授学』『世界図絵』**を著したのは**コメニウス**である。

正解 2

ワンポイントアドバイス

西洋教育史の出題数はそれほど多くありませんが、知識をストレートに問う問題が多いので、主要な人物とその著書、功績などを結びつけて覚えておきましょう。

問題9 西洋教育史⑨

次のア～エの著書とそれぞれの人物の組合せとして最も適切なものを１～５から一つ選びなさい。

ア　民主主義と教育
イ　エミール
ウ　世界図絵
エ　隠者の夕暮れ

1	ア	ピアジェ	イ	コメニウス
	ウ	デューイ	エ	ルソー
2	ア	デューイ	イ	ルソー
	ウ	エレン・ケイ	エ	ペスタロッチ
3	ア	エレン・ケイ	イ	ペスタロッチ
	ウ	デューイ	エ	コメニウス
4	ア	デューイ	イ	ルソー
	ウ	コメニウス	エ	ペスタロッチ
5	ア	ピアジェ	イ	デューイ
	ウ	ペスタロッチ	エ	ルソー

学習日　／　／　／

解答解説

ア　『**民主主義と教育**』は20世紀前半に、アメリカの教育者・哲学者のジョン・**デューイ**によって著された。世界の教育界の流れを変えた古典と言われる名著である。

イ　『**エミール**』はフランスの哲学者、ジャン=ジャック・**ルソー**の著書。赤ん坊から青年期まで、それぞれの時期における教育論を論じた近代教育学のバイブルと言われる。

ウ　『**世界図絵**』は、チェコの思想家、ヨハネス・**コメニウス**によって著された、世界最初の絵入りの「ことばの教科書」である。現代の視覚教材の先駆となった。

エ　『**隠者の夕暮れ**』は、スイスの教育者であり、孤児院の学長を務めたヨハン・ハインリヒ・**ペスタロッチ**の著書。大学時代にルソーの思想に触れ、50代のときにフランス革命が勃発している。「王座にあっても、木の葉の屋根の影に住んでいても、すべて同じ人間である」が有名な言葉。

正解 4

ワンポイントアドバイス

近世の教育者では、コメニウスに関する問題が頻出です。コメニウスの『大教授学』や『世界図絵』を軸に、世界の教育の流れをおさえておきましょう。

問題10 西洋教育史⑩

次の１～４の中から、著者と著書の組み合わせとして正しいものを一つ選びなさい。

	著　者	著　書
1	マカレンコ	『愛と規律の家庭教育』
2	エレン・ケイ	『大教授学』
3	デューイ	『隠者の夕暮』
4	フレーベル	『エミール』

学習日 ／ ／ ／

解答解説

1　○　肢文の通り、正しい。

2　×　『大教授学』を著したのはコメニウスである。**エレン・ケイ**はスウェーデンの社会思想家で、主著**『児童の世紀』**は、「教育の最大の秘訣は、教育しないことにある」の一文が有名である。他にも母性と児童の尊重をベースに社会問題を論じた。

3　×　『隠者の夕暮』を著したのはペスタロッチである。**デューイ**の主著は**『学校と社会』**である。デューイはプラグマティズム（実用主義、道具主義、実際主義と訳される）を代表する思想家である。

4　×　『エミール』を著したのはジャン=ジャック・ルソーである。**フレーベル**の主著は**『人間の教育』**である。フレーベルは幼児教育の父と呼ばれ世界で最初の幼稚園を設立し、積み木の原点となる「恩物（おんぶつ）」と呼ばれる教育遊具を考案した。

正解 1

ワンポイントアドバイス

現代の教育で出題頻度が高いのは、19世紀後半以降に誕生した新教育運動です。この時代に出現した教育者の中には、著作物の他に今の時代にも使われている知育玩具を考案している人物もいるのでチェックしておきましょう。

問題11 西洋教育史⑪

次の各文は、教育に関係のある人物についての記述である。空欄A～Cに、下のア～カのいずれかの人名を入れてこれらの文を完成させる場合、正しい組合せはどれか。1～5から一つ選びなさい。

・［ A ］は、イギリス産業革命期に、ニューラナークに紡績工場を建設し、工場内に性格形成学院を設立した。教育環境の整備によって望ましい性格の形成が可能であると考え、教室の環境整備、直観教授などの採用によって成果をあげた。
・［ B ］は、フロイト（Freud, Sigmund）の精神分析学に基づき、子どもを抑圧する権威を退け、自由と自治の教育を提唱し、その実践のため、サマーヒル学園を創設した。
・［ C ］は、ルソー（Rousseau, Jean-Jacques）の影響を受け、『隠者の夕暮』を著した。直観教授が重要であるとし、知・徳・体の諸能力の調和的発展の基本は家庭及び万人就学の小学校での基礎陶冶にあるとした。

ア　ケルシェンシュタイナー（Kerschensteiner, Georg Michael）
イ　オーエン（Owen, Robert）
ウ　ペスタロッチ（Pestalozzi, Johann Heinrich）
エ　ロック（Locke, John）
オ　デューイ（Dewey, John）
カ　ニイル（Neill, Alexander Sutherland）

	A	B	C
1	ア	エ	ウ
2	ア	カ	オ
3	イ	エ	ウ
4	イ	エ	オ
5	イ	カ	ウ

学習日 ／ ／ ／

解答解説

A　**性格形成学院**を設立したのは**オーエン**である。オーエンは社会改革運動の先駆者としても知られている。

B　**サマーヒル学園**を創設したのは**ニイル**である。サマーヒル学園は授業選択から参加・不参加までも生徒が判断して決め、「自治」を通じて子ども達の権利や自律を尊重する現代のフリースクールの先駆けとも言われる。

C　**『隠者の夕暮』**を著したのは**ペスタロッチ**である。他にも『リーンハルトとゲルトルート』『白鳥の歌』などの著作がある。

補足

・ロックはイギリスの哲学者。『教育論』『人間知性論』を著した。
・デューイはアメリカの哲学者。『学校と社会』『民主主義と教育』を著した。

正解 5

ワンポイントアドバイス

第二次世界大戦後の教育では、デューイ、キルパトリック、パーカーストが出題内容・選択肢として取り上げられる頻度が高くなっています。これらの教育思想・教育理論は，現代日本の教育改革の場面においても光が当てられているので、併せてチェックしておきましょう。

問題12 西洋教育史⑫

次の各文は、教育に関係のある人物についての記述である。空欄A～Cに、あとのア～カのいずれかの人名を入れてこれらの文を完成させる場合、正しい組合せはどれか。1～5から一つ選びなさい。

・［A］は、スイスの教育家であり、ルソー（Rousseau, Jean-Jacques）の影響を受け、孤児教育・民衆教育に生涯を捧げた。著書『リーンハルトとゲルトルート』では、民衆問題が貧困・経済問題に起因するとして教育の重要性を説いた。

・［B］は、アメリカの哲学者、教育学者であり、子どもの生活経験を重視した。プラグマティズムに基づいた教育哲学を確立し、広く世界の教育改革に寄与した。著書として、『民主主義と教育』がある。

・［C］は、イタリアの医師、教育家であり、ローマに設置された施設である「子ども（児童）の家」において、系統的な言語練習、感覚訓練、実際生活訓練を実践した。著書として、『子どもの発見』がある。

ア	カント（Kant, Immanuel）
イ	ペスタロッチ（Pestalozzi, Johann Heinrich）
ウ	スペンサー（Spencer, Herbert）
エ	デューイ（Dewey, John）
オ	モンテッソーリ（Montessori, Maria）
カ	フレーベル（Fröbel, Friedrich Wilhelm August）

	A	B	C
1	ア	ウ	カ
2	ア	エ	カ
3	イ	ウ	オ
4	イ	ウ	カ
5	イ	エ	オ

学習日 ／ ／ ／

解答解説

A **『リーンハルトとゲルトルート』**を著したのは**ペスタロッチ**である。ルソーが著した『エミール』に影響を受けて農業経営と教育者を志した。世界最初の幼稚園を創設したフレーベルに影響を与えている。

B **『民主主義と教育』**を著したのは**デューイ**である。その教育論は、現在の学習指導要領の要となる「社会に開かれた学校」「主体的・対話的で深い学び」に通じるものがある。

C **『子どもの発見』**を著したのは**モンテッソーリ**である。日本では1960年代に紹介されて、多くの保育園や幼稚園などでモンテッソーリ教育が導入された。

補足

・カントはドイツの哲学者。「人間は教育されることではじめて人になることができる」という言葉で知られる。

・スペンサーはイギリスの哲学者、社会学者である。著書『教育論』をベースにした「知育」「徳育」「体育」の三育の考え方は、日本でも広く紹介された。

正解 5

ワンポイントアドバイス

西洋教育史は、人名と業績からの出題が多くなっています。名言から人物名を問われることもあるので、その言葉や思想が生まれた当時の社会背景と併せてチェックしておきましょう。

問題13 西洋教育史⑬

次のア～オの教育に関わる人物とその著作について、正しいものを二つ選ぶとき、その組合せを解答群から一つ選びなさい。

ア　ルソー　　　―『エミール』
イ　デューイ　　―『大教授学』
ウ　コメニウス　―『児童の世紀』
エ　エレン=ケイ　―『学校と社会』
オ　ブルーナー　―『教育の過程』

【解答群】　1　ア、イ　2　ア、ウ　3　ア、エ　4　ア、オ　5　イ、ウ
　　　　　　6　イ、エ　7　イ、オ　8　ウ、エ　9　ウ、オ　0　エ、オ

学習日　／　／　／

解答解説

ア　○　肢文の通り、正しい。

イ　×　**『大教授学』**を著したのは**コメニウス**である。

ウ　×　**『児童の世紀』**を著したのは**エレン＝ケイ**である。

エ　×　**『学校と社会』**を著したのは**デューイ**である。

オ　○　肢文の通り、正しい。

補足

・デューイの著作には『学校と社会』の他に『民主主義と教育』がある。
・コメニウスの著作には『大教授学』の他に『世界図絵』がある。

正解　4

ワンポイントアドバイス

コメニウスは『大教授学』の中で、年代別の教育を提唱し、現代の教育制度につながる学校制度を提唱しました。中学校、高校の教科書には必ず登場するルソーは『エミール』の中で、子どもの自主性を重んじ、子どもの成長段階に即した教育を論じています。どちらも近代教育のスタート地点にいた人物として注目しておきましょう。

問題14 西洋教育史⑭

次の(1)～(3)は、西洋の教育史に関わる人物について述べたものである。（　a　）～（　c　）内に当てはまるものを語群から選ぶとき、正しい組合せとなるものを解答群から一つ選びなさい。

(1) （　a　）はイギリス経験論の代表的な哲学者で、商工市民階級の理念であった紳士の自律的精神を主張した。『教育に関する若干の考察』では、「健全な身体に宿る健全な精神」という語句に従って、心身両面の育成を具体的に説いた。
(2) ドイツの批判哲学の創始者である（　b　）は、「人間は教育を必要とする唯一の生物である」と捉え、「人は教育によってのみ人間となる」と説いた。
(3) （　c　）は、医師として勤務する中で、発達遅滞や知的障害児に関心をもった。（　c　）の保育は、児童中心主義の流れをくむと同時に、子どもの権利擁護の立場を強く示しており、今日の保育所や幼稚園の実践に多大の示唆を与えている。

【語　群】
ア　コンドルセ　　イ　ロック　　ウ　カント
エ　オーエン　　オ　モンテッソーリ　　カ　ウォッシュバーン

【解答群】
1　a－ア　b－ウ　c－オ　　2　a－ア　b－ウ　c－カ
3　a－ア　b－エ　c－オ　　4　a－ア　b－エ　c－カ
5　a－イ　b－ウ　c－オ　　6　a－イ　b－ウ　c－カ
7　a－イ　b－エ　c－オ　　8　a－イ　b－エ　c－カ

学習日　／　／　／

解答解説

(1)　a　**『教育に関する若干の考察』**を著したのはイギリスの哲学者ジョン・**ロック**である。

(2)　b　『純粋理性批判』『実践理性批判』『判断力批判』の３つの批判の書によって**批判哲学の創始者**と呼ばれるのはプロイセンの哲学者、イマヌエル・**カント**である。

(3)　c　イタリアの精神病院で働き、発達遅滞や知的障害児たちを独自の教育法によって知的水準を上げることに成功したのはマリア・**モンテッソーリ**である。「自己教育力」を大切にする教育はモンテッソーリ教育と呼ばれ、現在も世界中に実践する保育所や幼稚園がある。

補足

・コンドルセはフランス革命期に活躍した政治家。教育の自由、教育を受ける権利、教育の無償化、教育の中立等、近代公教育の原則を提唱した。
・オーエンはイギリスの実業家。現在の義務教育の基礎を作った。
・ウォッシュバーンはアメリカの教育家。個別学習と集団的協力教育を通じて児童の自主的学習を推進するウィネトカ・プランを創始した。

正解 5

ワンポイントアドバイス

西洋教育史で頻出の人物は、教育心理学や公教育制度の確立など、他の単元でも重要となる研究をしています。歴史を軸に、関連する単元の内容を紐づけておきましょう。

問題15 西洋教育史⑮

次のア～オは、西洋教育史に関わる人物とその著書である。正しいものを二つ選ぶとき、その組合せを解答群から一つ選び、番号で答えなさい。

ア　ペスタロッチ　―　『愚神礼賛』
イ　エラスムス　―　『世界図絵』
ウ　コメニウス　―　『隠者の夕暮』
エ　トマス＝モア　―　『ユートピア』
オ　デューイ　―　『学校と社会』

【解答群】　1　ア、イ　2　ア、ウ　3　ア、エ　4　ア、オ　5　イ、ウ
　6　イ、エ　7　イ、オ　8　ウ、エ　9　ウ、オ　0　エ、オ

学習日　／　／　／

解答解説

ア　×　**ペスタロッチ**が著したのは『**隠者の夕暮**』である。カトリック教会の形式化や聖職者の偽善を風刺した『愚神礼賛』を著したのはエラスムスである。

イ　×　**エラスムス**が著したのは『**愚神礼賛**』である。絵入りの言葉の教科書である『世界図絵』を著したのはコメニウスである。

ウ　×　**コメニウス**が著したのは『**世界図絵**』である。『隠者の夕暮』の著者はペスタロッチである。

エ　○　肢文の通り、正しい。

オ　○　肢文の通り、正しい。

正解 0

ワンポイントアドバイス

近世の教育史は、14世紀から始まったルネッサンスの影響を色濃く受けています。人間の自由な生活を尊重するヒューマニズムをキーワードに、当時の教育を読み解きましょう。

問題16 日本教育史①

次の(1)～(3)は、日本の教育史について述べたものである。（　a　）～（　c　）内に当てはまるものを語群から選ぶとき、正しい組合せとなるものを解答群から一つ選びなさい。

(1) 奈良時代の（　a　）は、平城宮近くの旧宅を寺として、そこに外典を蔵する院を設け、閲覧できるようにした。

(2) 鎌倉時代の（　b　）は、武蔵国に私設図書館として、金沢文庫を開設した。仏書が多く、幕府滅亡後散逸したが再興され、現在約２万巻の書物を収蔵している。

(3) 江戸時代の（　c　）・尾藤二洲・岡田寒泉は「寛政の三博士」と呼ばれ、昌平坂学問所の教官として朱子学振興に努めた。

【語　群】
ア　石上宅嗣　　イ　空海　　ウ　北条実時
エ　上杉憲実　　オ　柴野栗山　　カ　森　有礼

【解答群】
1	a－ア	b－ウ	c－オ	2	a－ア	b－ウ	c－カ
3	a－ア	b－エ	c－オ	4	a－ア	b－エ	c－カ
5	a－イ	b－ウ	c－オ	6	a－イ	b－ウ	c－カ
7	a－イ	b－エ	c－オ	8	a－イ	b－エ	c－カ

学習日　／　／　／

解答解説

(1)　a　奈良時代の**石上宅嗣**（いそのかみのやかつぐ）は、自らの旧邸宅を阿閦寺（あしゅくじ）として改装し、その一角に設けた書庫を一般に公開した。これは芸亭（うんてい）と呼ばれる日本最初の公開図書館である。

(2)　b　鎌倉時代の**北条実時**（ほうじょうさねとき）は、私設図書館である金沢文庫を開設した。

(3)　c　江戸時代の寛政期に**柴野栗山**（しばのりつざん）、尾藤二洲、岡田寒泉は「寛政の三博士」と呼ばれ、昌平坂学問所の教官として朱子学振興に努めた。

補足

- 空海は平安時代に庶民のための私立学校「綜芸種智院」を開設した。
- 上杉憲実（うえすぎのりざね）は室町時代に足利学校を再興した。
- 森有礼（もりありのり）は初代文部大臣で、在任中に諸学校令が発布された。

正解　1

ワンポイントアドバイス

日本教育史は江戸時代以降からの出題が多くあります。江戸時代は私塾や藩校と創始者の名前を、明治時代以降は教育の制度史をおさえておきましょう。

問題17 日本教育史②

次の各文は、日本の教育に関係のある人物に関する記述である。A～Dで述べられている人名を、それぞれあとのア～クから選ぶ場合、正しい組合せはどれか。1～5から一つ選びなさい。

A　江戸時代の社会教育家で、心学をおこし、儒教道徳に仏教や神道の教えを加味して、町人を中心とする庶民の生活倫理を説いた。商業活動の正当性を強く訴えた『都鄙(とひ)問答』を著した。

B　江戸時代の儒学者で、教育の目的、順序、範囲などを考察し、女子教育の重要性を唱えた。教育書である『和俗童子訓』を著した。

C　江戸時代に大坂で開業した蘭医で、蘭学塾である適々斎塾（適塾）を開き、福沢諭吉や橋本左内らを輩出した。

D　江戸時代の儒学者で、上野忍ヶ岡の地に家塾を経営し、後継者の育成を期した。やがてその家塾は昌平坂学問所へと発展し、幕府直轄の学校として、各地の藩校のモデルとなっていった。著作として、『春鑑抄』がある。

ア　広瀬淡窓	イ　石田梅岩	ウ　貝原益軒	エ　伊藤仁斎
オ　塙保己一	カ　緒方洪庵	キ　林羅山	ク　荻生徂徠

	A	B	C	D
1	ア	ウ	オ	キ
2	ア	エ	カ	ク
3	ア	エ	カ	キ
4	イ	ウ	カ	キ
5	イ	ウ	オ	ク

学習日　／　／　／

解答解説

A　『都鄙問答（とひもんどう）』を著したのは江戸時代の思想家、倫理学者の**石田梅岩（いしだばいがん）**である。福沢諭吉や渋沢栄一、さらには現代の経営者にも影響を与えたとされる。

B　『和俗童子訓』を著したのは、江戸時代の儒学者、**貝原益軒**である。他に『養生訓』『大和本草』で知られている。

C　大阪大学の前身の「**適塾**」を開いたのは**緒方洪庵**である。天然痘治療に大きく貢献し、今日の予防医学と公衆衛生学につながる先駆的な業績を残している。

D　昌平坂学問所のもととなる家塾を興したのは、江戸初期の儒学者、**林羅山**である。朱子学を重んじた江戸幕府に登用された。『春鑑抄』はやや難しいが、昌平坂学問所のもととなる家塾から林羅山であるとわかる。

正解 4

ワンポイントアドバイス

様々な教育機関が作られた近世の教育史からは、私塾を開設した人物とその教育内容がよく出題されます。

問題18 日本教育史③

次のａ～ｃは、日本の教育史に関わる人物について述べたものである。それぞれの人物を語群から選ぶとき、正しい組合せとなるものを解答群から一つ選びなさい。

ａ　封建的な身分制を否定し、農民重視の立場から支配・被支配の関係が存在しない平等な社会を理想とした。

ｂ　実践による認識（知行合一）を重んじる陽明学を受容して陽明学派をうちたてた。

ｃ　寛政改革期に幕府の援助により和学講談所をたて、古典や諸史料の収集と校訂を行った。

【語　群】
ア　安藤昌益　イ　石田梅岩　ウ　中江藤樹
エ　荻生徂徠　オ　塙保己一　カ　吉田松陰

【解答群】

1	ａ－ア	ｂ－ウ	ｃ－オ	2	ａ－ア	ｂ－ウ	ｃ－カ
3	ａ－ア	ｂ－エ	ｃ－オ	4	ａ－ア	ｂ－エ	ｃ－カ
5	ａ－イ	ｂ－ウ	ｃ－オ	6	ａ－イ	ｂ－ウ	ｃ－カ
7	ａ－イ	ｂ－エ	ｃ－オ	8	ａ－イ	ｂ－エ	ｃ－カ

学習日　／　／　／

解答解説

a　『自然真営道』を著し、封建制度を批判したのは江戸時代中期の社会思想家で医師の**安藤昌益**（あんどうしょうえき）である。人を支配する武士階級などがなく、すべての人が生産に従事する平等な社会を理想とした。

b　**陽明学派**をうちたてたのは、江戸時代初期の儒学者、**中江藤樹**（なかえとうじゅ）である。孝を重んじ、民衆を教化して私塾・藤樹書院を開いた。知行合一とは、「知識を真の知恵とするためには、実際の行動や実践によって裏付けられていなければならない」という意味である。

c　**和学講談所**を開いたのは**塙保己一**（はなわほきいち）である。和学講談所の蔵書は東京大学史料編纂所に引き継がれた。日本史の史料集は『大日本史料』として、現在まで刊行が続けられている。

補足

・石田梅岩は江戸中期の思想家で、『都鄙問答』を著した石門心学の創始者である。
・荻生徂徠は江戸中期の儒学者で、柳沢吉保に仕えて中国の史書の校註や出版を行った。退職後は江戸に蘐園塾（けんえんじゅく）を開き、『政談』の著書がある。
・吉田松陰は幕末期の長州藩の志士、思想家。松下村塾を主宰した。

正解 1

ワンポイントアドバイス

江戸時代、幕府直轄の教育機関は林羅山が開いた昌平坂学問所ですが、参勤交代を義務付けられていた時代なので、各藩が帰郷する武士向けに作った藩の学校もあります。頻出問題ではありませんが、有名どころの学校名と藩が結び付けられると有効です。

問題19 日本教育史④

我が国の近世以降における教育に関する記述として適切なものを１～５から一つ選びなさい。

1　江戸幕府直轄の学問所である昌平坂学問所は、寛政12年には「聖堂御改正教育仕方」の規定を作り、仰高門内東舎で幕臣を対象に経書の講釈を行い、士庶を対象に御座敷講釈を行ったほか、稽古所にて寄宿生、通学生及び外来人を対象とする講義を行った。この規定は効果を上げ、稽古人が急増した。

2　会津藩の藩校である日新館では、武術、朱子学を主流とする漢学のほか、和学、神道、算法、習字、習礼、天文、医学、洋学の学科が設けられた。開設当初は、教育面における身分階級制が厳しく藩士子弟のみが入学を許可されていたが、文政３年からは、歩卒及び町人の入学も許可されるようになった。

3　岡山藩主池田光政は、領内郡中の手習所を統合し、全国的にも創立時期が、最も早いものの一つである藩営の庶民教育機関としての郷学である閑谷学校を開いた。領内の者のみが入学を許可され、生徒は年齢によって小生と大生とに区分けされた。小生は手習・素読を、大生は本格的な学習を中心に学んだ。

4　儒学者広瀬淡窓が開いた漢学塾である咸宜園の入門者には武士、僧侶、医師、町人、農民など様々な者がいた。入門の後先は問わずに、年齢の高下によってクラスを決め、進級させる制度をとった。また、塾生の成績評価を厳格公正なものとするため、塾生全員の成績を月ごとに評定し、月旦評を公表した。

5　蘭方医である緒方洪庵が開いた蘭学塾である適塾では、塾主である洪庵の直接授業は少なく、塾生たちの間で相互に学び合う教育形態がとられた。初学者は「ガランマチカ」と「セインタキス」の素読と講釈を受けてオランダ語の文法を修得した後、原書を読む会読段階に移った。塾生は常時ヅーフ・ハルマの蘭日辞書を頼りに勉強し会読に臨んだ。

学習日　／　／　／

解答解説

1　×　仰高門内東舎と御座敷講釈が逆である。正しくは「幕臣を対象に**御座敷講釈**を行い、**仰高門内東舎**で士庶を対象に経書の講釈を行った」。

2　×「文政３年からは、歩卒及び町人の入学も許可されるようになった」が誤り。**日新館**の前に創設された**稽古堂**には庶民の子どもたちも学んでいたが、文政３年からは身分の低い歩卒及び町人の入学は禁じられた。

3　×「領内の者のみが入学を許可され」が誤り。**閑谷学校**は地方の指導者を育成するために、武士をはじめ庶民の子弟や他藩の子弟も入学を許された。

4　×「年齢の高下によってクラスを決め」が誤り。**咸宜園**は年齢によってクラスを決めていなかった。

5　○　肢文の通り、正しい。

正解 5

ワンポイントアドバイス

私塾と言われる教育機関が多く創設されたのが近世の教育です。私塾を開設した人物とその著書に関する問題は頻出ですが、それぞれの教育理念と、時代背景を併せてチェックしておくと覚えやすいでしょう。

問題20 日本教育史⑤

次の文章中の［ ① ］、［ ② ］にあてはまる人物名の組み合わせとして正しいものを１～４から一つ選びなさい。

> 日本の教育学の父とされる福岡藩の儒者であった［ ① ］は、1710年に５巻からなる『和俗童子訓』を執筆した。その中の「教女子法」には、女子の生活の心得が説かれている。これは後に『女大学』として独立して刊行され、明治以降も広く流布した。しかし、『学問のすゝめ』で知られる［ ② ］は、『女大学評論』『新女大学』を刊行し、女子の自然な感情を抑圧するものとして批判した。

1　①　貝原益軒　　②　大隈重信
2　①　貝原益軒　　②　福沢諭吉
3　①　本居宣長　　②　大隈重信
4　①　本居宣長　　②　福沢諭吉

学習日 ／ ／ ／

解答解説

1　福岡藩の儒者であり**『和俗童子訓』**を著したのは**貝原益軒**である。

2　**『学問のすゝめ』**を著したのは**福沢諭吉**である。

補足

江戸時代、貝原益軒の著した『和俗童子訓』に書かれた女子の心得は、のちに『女大学』として出版されたが、これは封建的隷属的道徳が強調されたものである。明治時代には福沢諭吉が、『女大学』を題材にして、遅れた封建道徳を改め、社会において女性も重んぜられるべきことを説いた。

正解 2

ワンポイントアドバイス

江戸時代が終わり、明治・大正時代に入る頃までの期間は、学校教育制度の基礎が造られた時代です。学制、教育令、学校令と似たような制度が並ぶので整理しておきましょう。また、「国民道徳」に対する考え方が変化した時代でもあるので、1890年（明治23年）の教育勅語までの道徳教育も併せておさえておきましょう。

問題21 日本教育史⑥

次のａ～ｃは、江戸時代、明治時代の教育史に関係する人物について述べたものである。それぞれに当てはまる人物を語群から選ぶとき、正しい組合せとなるものを解答群から一つ選びなさい。

ａ　人間の平等と民主主義を分かりやすい表現で説いた著書『学問のすゝめ』は、社会に強い影響を与えた。蘭学を修め慶應義塾を創設した。

ｂ　日本古来の伝統を評価する『古事記伝』を著し、国学を大成した。国学は天皇を尊ぶ思想と結びつき、幕末の尊王攘夷運動に影響を与えた。

ｃ　岩倉使節団とともにフランスに留学した。ルソーの思想を紹介し、「東洋のルソー」と呼ばれた。その思想は青年たちに大きな影響を与え、やがて自由民権運動へとつながっていった。

【語　群】

ア　福沢諭吉	イ　大隈重信	ウ　杉田玄白
エ　本居宣長	オ　中江兆民	カ　石田梅岩

【解答群】

1	ａ－ア	ｂ－ウ	ｃ－オ	2	ａ－ア	ｂ－ウ	ｃ－カ
3	ａ－ア	ｂ－エ	ｃ－オ	4	ａ－ア	ｂ－エ	ｃ－カ
5	ａ－イ	ｂ－ウ	ｃ－オ	6	ａ－イ	ｂ－ウ	ｃ－カ
7	ａ－イ	ｂ－エ	ｃ－オ	8	ａ－イ	ｂ－エ	ｃ－カ

学習日　／　／　／

解答解説

a　蘭学を修め**慶應義塾**を創設したのは**福沢諭吉**である。

b　『**古事記伝**』を著したのは**本居宣長**である。

c　**自由民権運動**に影響を与えたのは**中江兆民**である。ルソーの『民約論』の翻訳である『民約訳解』、『三酔人経綸問答』、『一年有半』など多くの翻訳・著作がある。

補足

・大隈重信は明治時代に早稲田大学の前身となる東京専門学校を創立した。
・杉田玄白はオランダの医学書『ターヘル・アナトミア』を訳し『解体新書』を完成させた。
・石田梅岩（いしだばいがん）は江戸時代中期の思想家。『都鄙問答（とひもんどう）』を著した。

正解 3

ワンポイントアドバイス

江戸時代、武士は「藩校」で学んでいましたが、庶民も学ぶことができた寺子屋では「読み書きそろばん」を教え、その多くが明治維新後に小学校の前身となりました。日本人の識字率を上げたとも言われる寺子屋の教育内容は現代教育でも注目されているので要チェックです。

問題22 日本教育史⑦

次のａ～ｃは、明治・大正時代の教育史に関わる人物について述べたものである。それぞれの人物を語群から選ぶとき、正しい組合せとなるものを解答群から一つ選びなさい。

ａ　伊藤博文内閣の文部大臣に就任後、小学校令、中学校令など諸学校令を制定して、以後の学校制度の基本型を確立した。
ｂ　長女の誕生を契機に童話の創作に取り組むようになった。従来の児童向け雑誌の商業主義的な傾向を憂慮し、1918年に雑誌『赤い鳥』を創刊した。
ｃ　『実際的教育学』において、教育実践と無関係のこれまでの教育学を批判し、「教育の事実」に基づく科学的な教育学建設の必要性を訴えた。実験学校として、1917年に「成城小学校」を創設した。

【語　群】　ア　新島　襄　　イ　森　有礼　　ウ　伊沢修二
　　　　　　エ　鈴木三重吉　オ　手塚岸衛　　カ　澤柳政太郎

【解答群】

1	ａ－ア	ｂ－ウ	ｃ－オ	2	ａ－ア	ｂ－ウ	ｃ－カ
3	ａ－ア	ｂ－エ	ｃ－オ	4	ａ－ア	ｂ－エ	ｃ－カ
5	ａ－イ	ｂ－ウ	ｃ－オ	6	ａ－イ	ｂ－ウ	ｃ－カ
7	ａ－イ	ｂ－エ	ｃ－オ	8	ａ－イ	ｂ－エ	ｃ－カ

学習日　／　／　／

解答解説

a　伊藤博文内閣で**初代文部大臣**に就任したのは**森有礼**である。

b　童話と童謡の児童雑誌**『赤い鳥』**を創刊したのは**鈴木三重吉**である。赤い鳥には『ピーターパン』や『ロビン・フッド物語』など、海外の文学作品の翻訳も掲載されて、日本の近代児童文学や児童音楽の創世記に影響を与えた。

c　**『実際的教育学』**を著したのは**澤柳政太郎**である。他に『教育者の精神』『ペスタロッチ』などの著作がある。大正10年には第一次世界大戦後の欧米教育を視察して、ドルトン・プランなど新しい教育の動向を日本に紹介した。

補足

・新島襄は幕末の日本から密出国して渡米してキリスト教徒となり、帰国後に同志社大学の前身となる同志社英学校を創立した。
・伊沢修二は森有礼大臣の文部省に入省し、東京師範学校（現・筑波大学）の校長に就任。明治14年には、日本で最初の『小学唱歌集』を出版し、これが日本の近代学校教育における「唱歌（音楽）」の授業のスタートとなる。明治20年には日本初の国立音楽学校である東京音楽学校（現・東京芸術大学）の初代校長となる。
・手塚岸衛は大正時代の教育家。東京師範学校の講堂で開催された八大教育主張講演会で登壇し、自由学習や自治活動を実践する「自由教育」を提唱した。

正解 8

ワンポイントアドバイス

1921年に開催された八大教育主張講演会では、欧米の教育思想を採り入れ、子どもの自主性や個性を尊重した自由教育の主張が展開されました。これは民主主義や自由主義が普及した大正デモクラシーの時代を教育に反映した象徴的な講演会です。大正年間に設置された私立学校の創設者と、この時代に活躍した教育者は重なる人物が多いのでチェックしておきましょう。

問題23 日本教育史⑧

日本の教育史について述べた文として正しいものを１～４から一つ選びなさい。

1　学館院は、大学で学ぶ一族子弟のために、在原氏によって設置された大学別曹である。

2　上杉憲実は、足利学校を再興し、学生の心得や学校のあり方を示した。

3　豊後の私塾であった松下村塾では、吉田松陰が門弟の教育に努めた。

4　芦田恵之助は、独自学習と相互学習を組み合わせることで自己確立に向かう学習法を提唱した。

学習日　／　／　／

解答解説

1　×　「在原氏によって」が誤り。学館院は第52代嵯峨天皇皇后・橘嘉智子（たちばなのかちこ）、その兄である右大臣・**橘氏公**（たちばなのうじきみ）によって平安京の右京二条西大宮大路に設けられた。大学別曹とは、大学寮に付属した寄宿舎である。

2　○　肢文の通り、正しい。足利学校は現在の栃木県足利市にあった。

3　×　「豊後（ぶんご）の私塾」が誤り。松下村塾は**長州萩城下の松本村**（現在の山口県萩市）にあった。豊後は現在の大分県に属する。

4　×　「独自学習と……学習法を提唱した」が誤り。**芦田恵之助**が提唱したのは**綴り方教育**である。児童が書いた作文について、芦田氏が物語の登場人物の口を借りて批評する形で著されたのが『綴方十二ヶ月』である。「綴方」とは尋常小学校および高等小学校での国語科に含まれた作文を指導する科目だった。

正解 2

ワンポイントアドバイス

日本の戦中・戦後の教育は、世界恐慌、不況、帝国主義、軍国主義などの影響を受けて、それまでの自由主義思想から大きく変化していきます。自由主義的で地方分権的な教育を意図した「自由教育令」と、国家が教育に介入・干渉を行うことが明確化された「改正教育令」の違いをおさえておきましょう。

問題24 日本教育史⑨

近代から現代における我が国の教育制度に関する記述として最も適切なものを1～5から一つ選びなさい。

1　1872年に、「学事奨励に関する被仰出書」が太政官から布告され、次いで文部省から、中央集権的なフランスの教育制度を参考にし、一般行政区から独立した学区制を採用した近代的教育法規である「学制」が頒布された。

2　1879年に、既に施行されていたイギリスの義務教育制度を模範として、田中不二麿によって起草された「日本教育令」を基に、中央集権的・画一的な教育制度を打破して、地方分権的な教育制度を採用した、「教育令」が制定公布された。

3　1886年に、初代文部大臣の森有礼の教育改革構想により、オランダ王国憲章に掲げられている教育の自由の精神を取り入れた、小学校令・中学校令・師範学校令・帝国大学令といった「諸学校令」が制定され、日本の教育の発展の基盤となった。

4　1941年に、戦時体制に即応するように小学校令から改変された「国民学校令」が制定公布され、小学校の名称を国民学校に変更し、ドイツ国内で統一して設置されていた8年制のギムナジウムに倣い、初等科6年、高等科2年の8年間が義務就学期間とされた。

5　1947年に、アメリカの第一次米国教育使節団の指示の下、地方分権、独立性の原理を実現するための学制改革を行い、「学校教育法」が公布施行され、教育の機会均等や教科用図書の無償措置の制度化が図られた。

学習日 ／ ／ ／

解答解説

1　○　肢文の通り、正しい。

2　×「イギリスの義務教育制度を模範として」が誤り。教育令で模範としたのは**アメリカ**の教育制度である。

3　×「オランダ王国憲章に掲げられている教育の自由の精神を取り入れた」が誤り。**オランダ王国憲章**が公表されたのは1954年であり、1886年の諸学校令制定よりも後である。

4　×「ギムナジウムに倣い」が誤り。国民学校令が倣ったのは、ドイツの初等義務教育学校「**フォルクスシューレ**」である。

5　×「教科用図書の無償措置の制度化が図られた」が誤り。義務教育教科書無償制度は、学校教育法ではなく、「**義務教育諸学校の教科用図書の無償に関する法律**」及び「**義務教育諸学校の教科用図書の無償措置に関する法律**」に基づいている。昭和38年度の小学校1年生について実施され、昭和44年度に小中学校の全学年に無償給与が完成した。

正解 1

ワンポイントアドバイス

近代の教育制度は、明治時代の「学制」から始まりました。明治時代の教育に関する法制度は頻出問題なので、名前と内容をしっかりとおさえておきましょう。

問題25 日本教育史⑩

我が国の近現代の教育に関する次の記述ア～エを年代の古いものから順に並べたものとして適切なものを１～５から一つ選びなさい。

ア　エレン・ケイの「児童の世紀」など教育に関する著作が翻訳された。欧米の新しい教育学説や教育思想が紹介されるようになり、児童中心主義の児童観が日本の教育界に影響を与え、児童の自由や自発性、個性などを重視する教育運動が展開された。

イ　ハウスクネヒトが来日し、帝国大学に着任した。彼の講義後に広がったヘルバルト派の五段階教授法は、教師の管理のもとで国家によって定められた教育内容を五段階の手続に従って教える方法として受け入れられ、公教育の教授法の定型となっていった。

ウ　アメリカのコース・オブ・スタディなどを参考に、経験主義を基調とする学習指導要領が刊行された。子供の興味・関心・生活や地域社会を重視して、活動的・協力的な学習を組織しようとする学力観に基づく教育が開始された。

エ　系統主義、最新の科学的成果の反映、内容の構造化・高度化を重視する学習指導要領が告示された。この学習指導要領は、どのような教育内容でも、工夫することによってどの発達段階の子供にも教えることができるとするブルーナーの理論を基盤とした「教育内容の現代化」が重視された。

1　ア　→　イ　→　ウ　→　エ
2　ア　→　ウ　→　エ　→　イ
3　イ　→　ア　→　ウ　→　エ
4　イ　→　ウ　→　エ　→　ア
5　ウ　→　エ　→　イ　→　ア

学習日　／　／　／

解答解説

ア　エレン・ケイ（1849 ～ 1926）はスウェーデンの社会思想家で、著書『児童の世紀』は1900年に出版され、日本では**1906年**に大村仁太郎がドイツ語版から、**1916年**には原田実が英語版から翻訳した。

イ　ハウスクネヒト（1853 ～ 1927）はドイツの教育学者。**1887年**に日本に招聘されて、ヘルバルト学派の教育学を教授した。

ウ　経験主義を基調とする学習指導要領が作成されたのは**1947年**。

エ　**1968 ～ 1970年**の学習指導要領改訂時に、ブルーナーの理論を基盤とした「教育内容の現代化」等が重視された。

正解 3

ワンポイントアドバイス

現代の教育史の中では、19世紀以降に誕生した新教育運動にまつわる出題が多く見られます。ヨーロッパとアメリカの新教育運動、ドイツの改革教育学や田園教育舎運動など、近年でも耳にする内容があるので、人物と教育内容ともに押さえておきましょう。

問題26 日本教育史⑪

次のア～オは、日本の教育史について述べたものである。正しいものを二つ選ぶとき、その組合せを解答群から一つ選び、番号で答えなさい。

ア　奈良時代の教育機関としては、官吏養成のために中央に大学、地方に国学がおかれた。大学では、貴族や東西史部の子弟が学んだ。国学では、郡司の子弟らが学んだ。

イ　平安時代の貴族は、一族子弟の教育のために寄宿舎に当たる大学別曹を設けた。代表的なものとして、和気氏の弘文院、藤原氏の奨学院、橘氏の勧学院などがある。

ウ　室町時代には、地方でも武士の子弟を寺院に預けて教育を受けさせる習慣が広まり、『庭訓往来』や『御成敗式目』などが教科書として用いられた。

エ　江戸時代には、蘭学研究への関心が高まる中で、オランダ商館医であったドイツ人シーボルトが文政期に適々斎塾を大坂郊外に開き、高野長英らの人材を育てた。

オ　明治時代には、官立の高等教育機関の拡充が進む一方、民間では大隈重信の慶應義塾、福沢諭吉の同志社などの私学も創設された。

【解答群】

	1　ア、イ	2　ア、ウ	3　ア、エ	4　ア、オ	5　イ、ウ
	6　イ、エ	7　イ、オ	8　ウ、エ	9　ウ、オ	0　エ、オ

学習日　／　／　／

解答解説

ア　○　肢文の通り、正しい。「史部（ふひとべ）」とは文書に係る職務に携わった氏族。

イ　×　「藤原氏－奨学院」「橘氏－勧学院」が誤り。藤原氏の大学別曹は**勧学院**、橘氏の大学別曹は**学館院**である。奨学院は皇族や**在原氏**その他の皇別氏族の大学別曹である。

ウ　○　肢文の通り、正しい。

エ　×　「適々斎塾を大坂郊外に開き」が誤り。**シーボルト**が開き、高野長英が学んだのは長崎の**鳴滝塾**である。

オ　×　「大隈重信の慶應義塾、福沢諭吉の同志社」が誤り。**大隈重信**は早稲田大学の前身となった**東京専門学校**を開き、**福沢諭吉**は**慶應義塾**を創設した。**同志社**の創設者は**新島襄**である。

正解 2

ワンポイントアドバイス

寺子屋を初等教育とすれば、私塾は中等教育、高等教育に該当します。大きく分けると漢学、国学、洋学という分類がありますが、蘭学や朱子学、儒学という分類もあります。例えば漢学は国学や洋学に対する中国由来の学問で、儒学よりも少し広義の学問、蘭学はオランダを通じて入ってきたヨーロッパの学問だが、開国以来は洋学という名称が一般的になった、というように頭の中を整理しておきましょう。

問題27 日本教育史⑫

我が国の近現代における中等教育に関する記述として適切なものを１～５から一つ選びなさい。

1．明治５年に、文部省は学制を発布し、その翌年には全国に256の中学校を設置するなど、中等教育の普及のための奨励策を積極的に講じた。
2．明治19年に、初代文部大臣の井上毅は諸学校令の一つとして中学校令を制定し、小学校令及び帝国大学令と併せて、小学校・中学校・帝国大学という学校体系を確立させた。
3．明治32年に、中学校令が改正されるとともに高等女学校令、実業学校令が制定され、中等教育が、中学校、高等女学校及び実業学校の三種類に大別され制度化された。
4．昭和18年に、高等学校令が公布されると、それまでの各中等教育機関は高等学校として制度的に統一され、高等教育及び実業教育を一括して行う教育機関とされた。
5．昭和23年に、総合制・小学区制・男女共学という三原則に基づいた中等教育機関として、中等教育学校が発足した。

学習日 ／ ／ ／

解答解説

1　×「全国に256の中学校を設置するなど」が誤り。明治５年８月３日に公布された「学制」において、文部省は全国256の中学区に一校ずつ中学校を設置することとしたが、実際には**256の中学校を設置することはできず、明治30年でも156校**であった。

2　×「初代文部大臣の井上毅」が誤り。井上毅（いのうえこわし）は第７代文部大臣であり、**初代文部大臣は森有礼**（もりありのり）である。

3　○　肢文の通り、正しい。

4　×「昭和18年に、**高等学校令**が公布」が誤り。公布されたのは**中等学校令**である。第一次高等学校令は、明治27年に施行された。その目的は、中学校令に基づいて設立された高等中学校を、高等学校に改組することであった。大正８年には高等学校の内容の拡大や充実のために第二次高等学校令が施行された。

5　×「中等教育学校が発足した」が誤り。総合制・小学区制・男女共学という三原則に基づいた中等教育機関として発足したのは**新制高等学校**である。

正解　3

ワンポイントアドバイス

近代教育制度は明治時代の「学制」から始まりました。明治時代の教育に関する法制度は頻出です。加えて大正時代の「大正新教育運動」と「八大教育主張講演会」についてもおさえておきましょう。

MEMO

MEMO

執筆協力：岩熊純子

2026年度版 スイスイとける 教職教養 合格問題集

（2025年度版　2023年９月21日　初　版　第１刷発行）
2024年９月17日　初　版　第１刷発行

編著者　TAC株式会社（教員採用試験研究会）
発行者　多田敏男
発行所　TAC株式会社 出版事業部（TAC出版）

〒101-8383
東京都千代田区神田三崎町3-2-18
電話 03(5276)9492（営業）
FAX 03(5276)9674
https://shuppan.tac-school.co.jp

組版　朝日メディアインターナショナル株式会社
印刷　今家印刷株式会社
製本　株式会社常川製本

ISBN 978-4-300-11233-5
N.D.C. 370

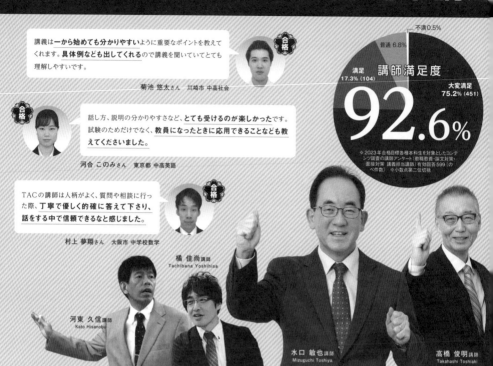